LORENA BERDÚN

Cómo hacer el amor
[bien]

punto de lectura

Título: Cómo hacer el amor [bien]
© 2002, Lorena Berdún
© Santillana Ediciones Generales, S.L.
© De esta edición: enero 2003, Suma de Letras, S.L.
Juan Bravo, 38. 28006 Madrid (España) www.puntodelectura.com

ISBN: 84-663-0944-6
Depósito legal: M-11.415-2004
Impreso en España – Printed in Spain

Diseño de cubierta: MGD
Diseño de colección: Suma de Letras

Impreso por Mateu Cromo, S.A.

Segunda edición: marzo 2004

173 / 2

LORENA BERDÚN

Cómo hacer el amor
[bien]

A todas las personas que osan amar de verdad, comenzando por mis padres y por mis tres hermanas...

Lo vio por primera vez en un corral de feria, enfrentado a un toro bravo al descubierto, medio desnudo y desprotegido. Días más tarde volvió a verlo bailando el cumbé en una fiesta de carnaval, a la que ella asistía llevando una máscara... Judas estaba en el centro de un grupo de curiosos y bailaba con cualquier mujer que quisiera pagarle... Bernarda le preguntó cuánto costaba. Judas replicó mientras bailaba «medio real». Bernarda se quitó la máscara. «Lo que quiero saber es cuánto cuestas el resto de tu vida».

Del amor y otros demonios
Gabriel García Márquez

Índice

Introducción

La naturaleza es increíblemente sabia. Seguramente habrás oído esta frase múltiples veces, pero, por tópica que parezca, expresa perfectamente la realidad. Nuestros cuerpos, por ejemplo, están preparados para cumplir una misión básica, que es la procreación, es decir, asegurar la descendencia, tener hijos. Aparte del funcionamiento interno, los genitales tienen una forma anatómica específica para desempeñar este cometido: el pene tiene forma alargada para que se pueda introducir en una especie de cueva, que es la vagina, y también para depositar lo más lejos posible, una vez dentro de la vagina, el líquido seminal que contiene los espermatozoides.

Por tanto, todos los cambios que se producen en el cuerpo durante la relación sexual, que puedes consultar en el capítulo III sobre la excitación, tienen como propósito facilitar el perfecto acople del cuerpo femenino y el masculino: la vagina se expande y humedece, el pene se endurece... Incluso la mujer prepara su cuerpo a lo largo del ciclo menstrual para que se produzca una fecundación, y si eso no ocurre aparecerá la regla.

Sin embargo, no podemos olvidar que, aparte de la finalidad procreadora, la sexualidad, que nos acompaña durante toda nuestra vida, nos permite disfrutar, obtener placer. Por eso podemos hacer uso de ella no sólo para tener descendencia, sino únicamente para disfrutar, para compartir, para divertirnos y para cientos de cosas más. Nuestros cuerpos son increíbles y están hechos para disfrutar de ellos plenamente. Aquellas personas que no quieran tener hijos por el momento, pueden mantener relaciones sexuales y hacer el amor tan sólo como mera fuente de placer, ¡y no hay nada malo en ello!

Poder elegir cómo queremos que sea nuestra sexualidad, vivirla con libertad, decidir cómo y cuándo hacerlo, con quién y cuándo ser padres, que métodos anticonceptivos utilizar, etcétera, es lo que se llama salud sexual. Y todo el mundo tiene pleno derecho a disfrutarla.

A muchas personas les gustaría saber cuál es el secreto para conseguir llegar a una sexualidad perfecta, o a la mejor comunicación con la pareja, o para ser el o la mejor amante, dominar todas las técnicas... ¡a quién no! Pero como es lógico, las cosas no son tan sencillas. No se trata de seguir unas instrucciones al pie de la letra como si de un manual se tratara, porque eso le restará naturalidad a todo lo que hagas. Lo ideal es que tú mismo/a respondas de manera natural a todos tus impulsos y sensaciones. Olvídate de las cosas que crees que son correctas o no. Todo vale, siempre y cuando estés de acuerdo con tu pareja. Échale imaginación e ilusión y lo más importante de todo: ESCUCHA A TU PAREJA, incluso lo que no te diga en voz alta.

A partir del primer capítulo encontrarás gran cantidad de recomendaciones, algunas que habrás oído cantidad de veces y otras que te suenen a nuevo.

Una aclaración: para referirme a la otra persona con la que haces el amor, utilizaré en todo momento la expresión «tu pareja». Esto no significa que esté aludiendo exclusivamente a parejas estables que hacen el amor, ni mucho menos. Es una manera de ponerle nombre a esa otra persona que comparte contigo el encuentro sexual, tu pareja en ese momento, bien sea alguien que acabas de conocer o tu novio, chica o relación estable, como quieras llamarlo.

A lo largo de todo el libro vas a encontrar ideas para mejorar tus relaciones sexuales o para reforzarlas. Lógicamente, cuanto mejor conozcas a tu pareja mucho más fácil será lograr la compenetración total, pero también puedes lograr ser un/a buen amante teniendo en cuenta esos detalles que se describen en el libro. Aunque te parezcan una bobada y creas que no se te escapan esos pormenores, has de saber que la sexualidad esconde cantidad de secretos que hay que descubrir con esfuerzo y muchas ganas. Todo el mundo puede «echar un polvo» y pasarlo de maravilla en la cama, pero eso no dura eternamente y serán tu esfuerzo y el de la persona que tienes al lado los que te ayudarán a descubrir lo que es de verdad disfrutar, conocer y compartir auténtica intimidad con otra persona. No es fácil hacer cada día algo nuevo, por eso unas cuantas sugerencias nunca vienen mal. Espero que disfrutes mientras lo lees, y ¡por supuesto! mientras haces uso de lo que has leído... Muchas gracias.

I
Tu cuerpo

Para hacer el amor utilizas tu cuerpo, ¿verdad? Por eso precisamente tienes que examinarlo a la perfección, hasta el último detalle, ya que, además, tarde o temprano lo compartirás con otra persona. Si tú no te conoces, ¿cómo pretendes que tu pareja adivine lo que deseas? La mayoría de las personas han visto mejor el cuerpo desnudo de la pareja que el propio. Y es primordial conocerse para dar a entender a tu pareja lo que te apetece, para darte plenamente. Mírate desnudo/a, explora tus genitales y, por supuesto, ten la curiosidad de aprender algo más sobre cómo es el cuerpo del sexo contrario.

Casi siempre, las dudas relacionadas con la sexualidad, los problemas o disfunciones sexuales, aparecen porque no somos dueños de nuestro propio cuerpo. Se lo entregamos a nuestra pareja con mucha más facilidad de lo que nos lo damos a nosotros mismos, y eso es un error. No nos conocemos, y esto les ocurre, en mayor medida, a las mujeres. ¿Y por qué a ellas precisamente? Es sencillo: los chicos tienen sus genitales a la vista, desde que nacen están en contacto con su pene, lo tocan a diario... Además el niño aprende a convivir con sus erecciones, ve cómo el pene se pone duro y hasta descubre que acariciarlo en determinadas circunstancias le resulta agradable.

En cambio ellas, al contrario que los chicos, tienen más escondido el acceso a sus genitales, aunque eso no significa que sea difícil llegar a ellos. Por otra parte, no hay que olvidar que durante siglos la sexualidad femenina apenas se tuvo en cuenta o incluso fue negada, y ese «rechazo» se ha heredado en muchas culturas. Se suponía que las mujeres no podían sentir curiosidad por su cuerpo, no podían tocarse los genitales, jamás se les ha inculcado la importancia de explorarse y conocerse a la perfección.

Pero en fin, como todo eso es agua pasada, ahora sí hay que enseñar a las chicas a explorar sus genitales.

¿CÓMO HA DE EXPLORARSE UNA MUJER?

Busca un lugar cómodo como puede ser tu cama o incluso el baño (sentada en el váter o la bañera cuando te vayas a duchar) y ten a mano un espejo. Solamente tienes que ponerlo cerca de la vulva y curiosear: descubrirás el pequeñísimo órgano por donde sale la orina, comprobarás lo diferentes que son los labios menores de los mayores (los que tienen vello); verás que el orificio vaginal está algo tapado por unos trocitos de carne parecidos a pequeños pétalos y, por supuesto, has de localizar el clítoris, que es el órgano que más placer te aportará a lo largo de tu vida. ¿Te vas a perder todo esto? Incluso puedes introducir un dedo en la vagina, para comprobar cómo es por dentro. Acolchada, ¿verdad?

Si vas al ginecólogo y tienes confianza con él/ella, aprovecha cuando te vaya a hacer la exploración para pedirle que te deje ver el interior de la vagina con un espejo. Verás qué curiosa resulta la experiencia.

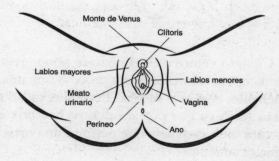

El aparato genital masculino

Los genitales masculinos están compuestos por una parte externa y otra interna, exactamente igual que el aparato genital femenino. Lo que se percibe a simple vista es el pene y los testículos, cubiertos estos últimos por el escroto, y por dentro se encuentran diferentes órganos, responsables de la erección, eyaculación y producción de espermatozoides.

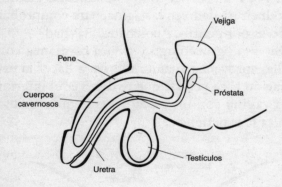

Cuando vemos que el pene se pone erecto, nos parece el resultado de un proceso sumamente sencillo. ¡Crece y ya está! Pero la realidad no es tan fácil, ya que por ahí dentro hay una estructura bien compleja que permite un correcto «funcionamiento».

Sin profundizar en dicha estructura, te diré que el pene está atravesado por dos cuerpos cavernosos que se llenan de sangre, lo que produce la erección. Además, el pene está recubierto por una piel muy sensible, que se llama prepucio y que protege el glande. El prepucio está unido al glande por un trocito de piel llamado frenillo, que es, por cierto, una de las zonas más sensibles y erógenas del pene.

En el interior, entre otras cosas, se encuentra la próstata, a la que se puede acceder a través del ano. Parece ser que una suave estimulación de este órgano proporciona orgasmos muy placenteros. ¡O al menos eso dicen algunos hombres!

¿Qué es la fimosis?

Es una leve malformación que consiste en que la piel del prepucio está muy cerrada y no deja que el glande salga al exterior.

¿HUELE BIEN O MAL?

Cada persona emana un olor corporal muy particular, exactamente igual que cuando entras en una casa y siempre huele de la misma manera: sin necesidad de poner un ambientador o velas aromáticas, la casa tiene su olor característico. Pues lo mismo ocurre con las personas. No se necesitan perfumes ni aderezos para que cada uno tenga su propio aroma.

Si bien los olores difieren mucho de una persona a otra, el olor de los genitales es algo similar en casi todas. Por supuesto, existen diferencias, pero hay algo en común para todos con respecto a los genitales: desprenden un olor peculiar que, en absoluto, tiene por qué ser desagradable, siempre y cuando cuides tu higiene a diario, por supuesto. Piensa que los genitales se encuentran entre las piernas y desde esta ubicación no tienen ninguna posibilidad de ventilarse, excepto cuando te desnudas. De manera que al cabo de muchas horas es probable que se vaya acumulando cierto olor fuerte que puede resultar molesto para algunas personas.

Como verás a lo largo del libro, hay muchas maneras de eliminar los olores, de prepararse para practicar, por ejemplo, sexo oral, de paliar los efluvios corporales que no te gustan... Y verás también que ese olor que para algunos es desagradable, para otros muchos resulta altamente excitante y natural. Sigue leyendo y lo descubrirás.

Los hombres han de retraer (echar hacia atrás) la piel del prepucio lo máximo posible, y lavar bien por debajo de la corona del glande. Si una fimosis severa te impide limpiar el pene adecuadamente, consulta con el médico si conviene que te realicen la circuncisión (eliminar la fimosis mediante una intervención quirúrgica).

¿Cuántas veces al día hay que lavarse?

Una sola vez es suficiente, y si los olores te saturan mucho, hazlo también antes de tener una relación sexual. Ten en cuenta que, al igual que con los geles y por las mismas razones, no conviene «abusar» de la limpieza.

Las mujeres han de lavarse sólo la vulva, haciendo especial hincapié en los pliegues de los labios. La vagina no es preciso limpiarla porque tiene su propio sistema de lavado, que además le proporciona el pH que necesita, así que no introduzcas geles o agua en su interior.

[
No es recomendable usar desodorantes íntimos. Sólo enmascaran el olor y además abusar de ellos puede resecar la humedad y flora natural de la vagina.
]

¿Qué es el esmegma?

Es una sustancia blanquecina que se acumula en los genitales como consecuencia de la falta de higiene. Sobre todo se amontona en el pene cuando no se echa la piel del prepucio hacia atrás. Entonces van quedando restos de células muertas, orina, eyaculaciones... lo que da lugar a un olor muy desagradable. Por eso precisamente es tan importante incidir en la limpieza diaria de la zona genital.

II
Besar es tan sencillo…

Besar consiste sólo en dejarse llevar, olvidarse de lo que te rodea y pensar en la persona que tienes delante, en lo que tú mismo/a estás sintiendo; el beso sólo es el comienzo. Por supuesto, existen muchos tipos: desde los que no tienen connotación erótica alguna (los que se dan entre familiares, o los que sirven para saludar a alguien a quien se acaba de conocer), hasta los más apasionados, más íntimos y significativos.

Enfrentarse al primer beso siempre da un poco de miedo: ¿cómo mover la boca?, ¿cómo hacer para que no note mi inexperiencia?... ¿cómo se besa realmente? El primer beso no se olvida nunca, bien porque fuera maravilloso o por lo mal que resultó...

Cuando vayas a dar un beso, sea el primero o no, ten en cuenta que no estás solo/a, que tienes que acoplarte a la otra persona, que puede que tu técnica no sea la adecuada para tu pareja, que tienes que aprender de sus besos tanto como él o ella de los tuyos... Y piensa también que si no te besa especialmente bien, siempre puedes enseñarle a hacerlo mejor. Así que ten un poco de paciencia y sé sutil a la hora de modificar sus pequeños o grandes defectos al besar... ¡No se te ocurra decirle a la primera de cambio lo mal que besa!

> Aborrezco el beso pegajoso
> (para mí tan detestable),
> los besos que me gustan
> están cerca,
> pero no entrelazados:
> tomaría los carnosos, pero no
> la lengua blanda:
> ¿Qué hace un palo atizando
> el fuego allí;
> cuando el triunfo se halla
> en otra parte?

(Robert Herrick, *Besos detestables*)

ALGUNOS CONSEJILLOS

Seguramente tú también has pensado alguna vez algo parecido, y es que un beso es igual en todas partes: se juntan los labios y... ¡a ver qué pasa! Ten en cuenta alguno de estos apuntes para tus próximos besos:

▲ En primer lugar cuida la higiene de la boca (consulta el capítulo VIII sobre salud sexual). Un buen aliento es el mejor aliado para un beso único.

▲ La humedad de la boca también es importante, ya que si das un beso demasiado húmedo, resultará incómodo y desagradable para la otra persona. Así que traga saliva y asegúrate de que los labios no están especialmente mojados.

▲ Cuando das un beso largo, tus manos deben acompañar ese gesto, acariciando otras partes del cuerpo, jugando con su pelo, sujetando su cara...

▲ Prueba a darle un beso robado, sin que lo espere. Estos besos, sobre todo al principio de la relación, cuando todavía sentís algo de timidez, son los más deliciosos. Sientes como una especie de cosquilleo en la barriga que emociona profundamente.

▲ Para comenzar a besar puedes hacer un primer acercamiento rozando tus labios con los suyos, lo que se llama un «pico». Ya que estás cerca de su boca, comienza por besar ambos labios, sin utilizar la lengua todavía. Puedes coger un labio y succionarlo suavemente. Mordisquea con mucho cuidado los labios y empieza a usar la lengua, pero no la introduzcas en su boca de manera brusca, sino poco a poco: acaricia con ella los labios y métela en la boca para encontrarte con la suya.

Una vez que tengas la lengua dentro de su boca, no juegues solamente con ella, es decir, no te limites a abrir la tuya y mover la lengua sin más. Eso sólo es un «morreo» brusco, un encuentro de lenguas y ya está. Sigue mordisqueando los labios, besándolos, a la vez que acaricias con la lengua. Le gustará el doble que si lo haces de la otra manera, y el «morreo» se convertirá en algo increíblemente íntimo y sensual.

Durante un beso, ¿se deben cerrar los ojos?
Si no los cierras, ¿significa que no quieres
a tu pareja?

Los sentimientos por tu pareja no los pueden decidir aspectos externos como si abres o no los ojos al besar. Lo que sientes lo decides tú, no lo olvides.

Para besar a alguien no es necesario cerrar los ojos todo el tiempo: puedes abrirlos de vez en cuando para ver la expresión de tu acompañante mientras te besa, para coincidir con su mirada, si se da el caso de que también los tiene abiertos, etcétera. Siempre se habla de besar con los ojos cerrados porque tiene cierto sentido pensar que si lo haces con los ojos completamente abiertos, fijando la vista en diferentes cosas que te rodean, tendrás más posibilidad de distraerte y no prestar toda la atención necesaria a ese momento que estás compartiendo con tu pareja. Cuando besas a alguien profundamente estás creando un pequeño ambiente muy personal entre vosotros dos y las cosas de fuera pueden romper la magia. En cualquier caso, no hay nada que diga que los ojos abiertos o cerrados sean el indicativo de que estés más o menos enamorado/a.

Otros besos

Los besos no se dan solamente en la boca, como sabes perfectamente. No me voy a detener en este aspecto porque a lo largo del libro vas a encontrar mil ideas diferentes relacionadas con besos y caricias en todas las zonas del cuerpo, desde la cabeza, repleta de pelo, hasta los dedos de los pies, pasando por el resto del cuerpo. Tan sólo quiero recordarte que besar puede ser una auténtica experiencia erótica para ti y que con tus labios, pegados en cualquier parte del cuerpo de tu pareja, puedes regalarle momentos inolvidables. No dejes que los besos se conviertan en algo rutinario. Siempre pueden decir algo diferente. Sólo hay que proponérselo.

III

¿Por qué nos excitamos?

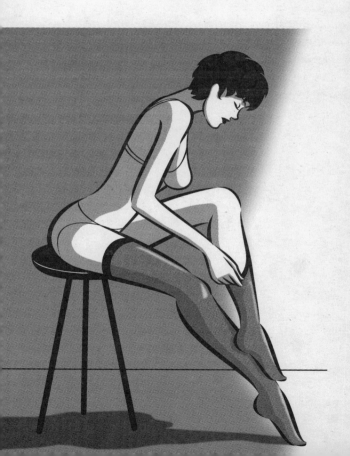

¿Cómo responde nuestro cuerpo cuando nos excitamos? ¿Qué cambios se producen? Si aprendes lo que le pasa a tu pareja cuando se excita, lograrás una mayor compenetración con ella.

Si tienes encuentros amorosos esporádicos con diferentes personas, es lógico que no te dé tiempo a saber cómo le gusta a tu pareja que le estimules, pero sí puedes tener idea de lo que posiblemente le agrade, sólo con saber algunas cosas básicas.

FASES DE LA RESPUESTA SEXUAL

En primer lugar, veamos qué es lo que pasa en el cuerpo frente a la estimulación sexual:

▲ Fase de excitación: el cambio más evidente en los chicos es que con la estimulación sexual, el pene se pone en erección. Esto ocurre por la llegada de sangre al miembro, que queda retenida momentáneamente hasta que cesa la estimulación o él llega al orgasmo. Además de esto, los testículos se hacen más grandes y se elevan, y los pezones, en algunos casos, se ponen duros.

En la chica la vagina comienza a segregar mayor cantidad de flujo para facilitar el coito; el útero se eleva y la vagina se expande, para albergar el pene. Además, el clítoris sale de su escondite, algo más grande, y los pezones, en algunas mujeres, también se erectan.

▲ Fase de meseta: justo antes del orgasmo, la excitación es máxima. Se mantienen los cambios, incluso se acentúan, y se llega a la puerta del clímax.

▲ Orgasmo: es la descarga de toda la tensión que se ha ido acumulando. Es la fase más breve de todas y, lógicamente, ¡la más placentera!

▲ Resolución: tras el orgasmo llega el descanso, el relax. Sobre todo lo nota el hombre, ya que se produce lo que se llama «periodo refractario», durante el que no puede eyacular de nuevo.

PROLEGÓMENOS

▲ Dejando a un lado lo que es más habitual en cada uno, has de tener claro que toda pareja necesita un precalentamiento (lo que se llama «prolegómenos»: puedes ampliar la información en el capítulo IX, sobre juegos) hasta llegar al coito. Os podrá hacer falta más o menos tiempo, pero lo que es seguro es que es necesario. Hay parejas a las que les encanta recrearse en los juegos previos y dedicarles la mayor parte de la relación sexual y, sin embargo, otras prefieren un rápido calentamiento para llegar enseguida al coito. En cualquier caso, no te preocupes porque conocerás las preferencias de tu pareja con rapidez. Esta parte es de las más sencillas.

▲ Algunos hombres piensan que tras los primeros besos, desnudarse y unas cuantas caricias la mujer está lista para el coito. Sin embargo, y aunque esto no es una regla fija y depende de muchos factores, en general, ellas necesitan más estimulación que los hombres para estar plenamente excitadas. No te equivoques: pregúntale si quiere dar ese paso ya, o si prefiere esperar un poco.

▲ Si a tu pareja le gustan mucho los juegos previos y a ti poco, tratad de alternar cada día y daros gusto mutuamente. Si te gusta entretenerte en los prolegómenos, prueba un día una arrebatada relación sexual, porque aunque no estés acostumbrado/a a ello puede resultarte muy estimulante.

▲ No alarguéis los preliminares: si insistes en estimular una determinada parte del cuerpo puedes llegar a insensibilizarla, disminuyendo la intensidad de lo que tu pareja siente cuando la tocas. Imagina que acaricias su abdomen y se le pone el vello de punta. Si insistes es esa zona una y otra vez, puede que notes que sus reacciones cada vez se hacen menos intensas, y que acabe por no sentir lo que al principio. Por eso es mucho mejor que lo dejes cuando todavía tiene «la carne de gallina» y explores otra parte de su cuerpo.

[
Deja los genitales para el último momento y recréate en otras zonas del cuerpo. Originarás tanta expectación que estará deseando que los acaricies.
]

DIFERENTES RITMOS

Cada persona necesita un tiempo para excitarse por completo y lo más seguro es que no sea siempre el mismo, sino que cambie de una vez para otra. Es decir, un día puedes encontrar que tu pareja ha necesitado unos pocos minutos para «ponerse a tono» y sin embargo es posible que en otra ocasión necesite más mimos para lograrlo. Aunque por regla general tu chico prefiera largo rato de caricias o ella necesite poco tiempo para excitarse a tope, puede ocurrir que haya cambios según vuestro humor, si estáis cansados o no, si ella tiene la regla, si habéis tomado alguna copa de más... etcétera.

Dentro de la relación sexual, el grado de excitación puede variar de un momento a otro. Esto significa que en una misma relación habrá momentos en los que el chico tenga una ligera bajada de erección o ella pierda lubricación vaginal. Esto no debe preocupar en absoluto: él recuperará la turgencia del pene si le estimulas de nuevo y en el caso de ella, puedes usar saliva para humedecer la vulva, hasta que reaparezca la lubricación natural de la vagina.

Si la excitación baja con mucha frecuencia en vuestros encuentros sexuales, pensad si alargáis demasiado los prolegómenos. A veces quedarse un poco corto en las caricias iniciales genera expectativas y aumenta el deseo.

Como ya sabes, las chicas suelen tardar más en llegar al orgasmo, por eso conviene que él se acople a los movimientos y roces que su pareja necesita para llegar al clímax. Puede que a ti te guste más una penetración rápida y continuada mientras que a ella le vengan mejor empujes un poco más profundos y duraderos. Empujes, además, en los que favorezcas el roce de su clítoris con tu cuerpo.

Es posible que después de unos cuantos movimientos «a su gusto» logres aumentar su excitación hasta el punto de que comience a abordar los movimientos que tú prefieres y lleguéis los dos juntos al orgasmo.

LLEGAR AL MISMO TIEMPO

Intentar llegar al orgasmo a la vez que tu pareja es un objetivo que puede ser muy positivo pero que no debe obsesionaros, ya que es muy posible que no lo consigáis en todas las ocasiones, así que no os pongáis este propósito como meta.

▲ Mantén en todo momento la comunicación con tu pareja: esto te permitirá saber cuánto le queda para alcanzar el orgasmo. Aprende también a notar cómo son sus gemidos antes y durante el orgasmo; así, cuando le oigas respirar o gemir más fuerte sabrás que pronto llegará el clímax.

▲ Si notas que te queda poco para alcanzar el orgasmo y a tu pareja algo más, trata de frenar un poco el ritmo y de cambiar tus movimientos, pero consúltale si en ese momento quiere que cambies el ritmo. A veces con sólo alterar la manera en que te estás moviendo puedes retrasar la llegada del orgasmo de tu pareja.
Si por algún motivo, él eyacula antes de que ella alcance su orgasmo no debe dar por terminada la relación sexual. Ha de continuar estimulando a su chica hasta que quede plenamente satisfecha.

No olvides que la mujer puede alcanzar más de un orgasmo en la relación sexual. Algunas veces se conseguirá y otras no, pero podéis aprovechar esta estupenda posibilidad para intentarlo alguna vez.

IV
Detalles imprescindibles

Hablar de lo que te pasa por la cabeza, preparar una buena velada, idear algo nuevo que le sorprenda… en definitiva, poner algo de esfuerzo y chispa a tu relación debería ser tu objetivo a partir de ahora.

A continuación te expongo unas cuantas posibilidades para que escojas.

Comunicación

Algo tan simple como decir «comunícate con tu pareja» puede parecerte obvio. ¿Quién no se comunica con su pareja? Para algo sois dos, ¿no? Pues te sorprendería comprobar la cantidad de parejas que se supone tienen muchísima confianza entre ellos y sin embargo no se atreven a comentar en alto sus problemas, sus necesidades, sus apetencias. No es suficiente tener confianza, es imprescindible ir mucho más allá: la comunicación es la mejor arma para solucionar cualquier problema, y en caso de no haberlos, sólo hablar ayuda a mejorar. A la hora de hacer el amor, son muchos los detalles que conviene tener en cuenta, ya que, aunque sean imperceptibles, son fundamentales para que el resultado sea lo más deseable posible. Aquí tienes algunos aspectos que debes procurar cuidar, que te pueden ayudar a aderezar la relación y, por supuesto, que te aportarán ideas para vencer la rutina que tanto nos fastidia.

▲ Hablar de sexo: imprescindible si quieres que tu pareja te entienda. Pero, ¿cómo hablo de sexo con mi chico/a?, ¿cómo vencer la vergüenza?, preguntarás. Puedes empezar hablando de sexualidad en general, de cosas que has oído, de dudas que te hayan surgido, de algo que no tenga que ver con vosotros. De esa manera irás rompiendo el hielo y enseguida hablar de sexo os parecerá lo más natural, igual que lo hacéis con los amigos. Después, a medida que vayáis cogiendo confianza, puedes intentar llevar al terreno de vuestra relación lo que creas conveniente. Por ejemplo, si estáis con los amigos y sale un tema que te interesa en el ámbito personal, luego a solas con él/ella puedes retomar esa conversación («Oye, ¿qué te parece lo que ha dicho...?»); seguramente en ese momento habrás abierto la posibilidad de hablar y probablemente las alusiones a la sexualidad aparecerán con naturalidad en vuestras conversaciones. Si esto ocurre siempre os resultará mucho más fácil enfrentaros a los posibles problemas que puedan presentarse en vuestra relación.

▲ También tienes otra opción para hablar de estos temas: ir directo al grano. Aprovecha alguna situación que hayáis vivido, como algún fallo al hacer el amor o que haya sucedido algo que no te gustara, o incluso algo nuevo que habéis probado y que te ha encantado... Y eso mismo puede ser el desencadenante de la conversación en cuestión.

Indudablemente, dentro de esas conversaciones entre los dos tenéis que incluir vuestras apetencias, vuestros gustos, referidos, claro, a la relación sexual. De nada sirve que tengáis una estupenda comunicación si nunca os atrevéis a charlar sobre lo que os interesa sexualmente. Cuéntale lo que te gustaría probar, las dudas que te surjan, si te apetece o no hacer el amor en ese momento concreto, si hoy prefieres cambiar de posición, o si realmente no te agrada mucho esa caricia que hace y no te atreves a comentárselo...

▲ Decirle que algo no te gusta sin herir sus sentimientos es mucho más sencillo de lo que piensas porque si tú aprecias y conoces bien a tu pareja, casi seguro que encontrarás la manera de dirigirte a ella con tacto y hacérselo saber de tal manera que le moleste lo menos posible. Tampoco es necesario que le hagas una lista de lo que no te gusta, pero sí puedes darle pistas. Si no te agrada alguna de sus caricias, retírale la mano suavemente y colócala en otra zona. Es probable que haga preguntas como: «¿Qué pasa, es que no te gusta?»; ésa es tu oportunidad perfecta para decirle que prefieres que te acaricie en otro sitio, o de otra manera. Si te besa con brusquedad párale suavemente la cara con las manos e invítale a recibir un beso «a tu manera», a ver si le gusta. Cuando hayas terminado pregúntale qué tal. Si mordisquea una zona con demasiada fuerza, sepárate un poco de él/ella y dile sonriendo que lo haga más suave. En resumidas cuentas, lo ideal es que lo hagas como si fuera un juego. Nunca impongas tu criterio, porque igual que a ti no te gustan ciertas cosas puede que a tu pareja no le gusten otras tuyas. Así que prueba dándole opciones. Es mucho más fácil que le enseñes tus trucos, cómo prefieres las cosas a decirle directamente «me haces daño». Si lo haces de esta manera conseguirás despistarle y tendrá que inventar una nueva manera para agradarte. ¿No es mejor que le des tú ya la opción directamente?

▲ Ceded en algunas cuestiones: todas las personas que conviven de alguna manera (y eso no significa que tengáis que vivir juntos), tienen sus diferencias. No hay una sola persona igual a otra y cada uno desea hacer las cosas a su manera. Cuando decides tener una relación de pareja, has de transigir en muchos aspectos, aunque no te apetezca hacerlo. Concede importancia a tu pareja, es decir, hazle sentir lo importante que es para ti y no olvides acceder de vez en cuando a algún capricho, aunque no estés de acuerdo con ello. Respeta las opiniones que sean contrarias a las tuyas y guarda el orgullo lo máximo posible.

▲ No llevéis las peleas a la cama: si habéis tenido una discusión no acumuléis resentimiento a la hora de hacer el amor. Muchas veces se discute y se hacen las paces y si algo sale mal en la cama, enseguida se recuerda el enfado y se echan cosas en cara. Esto deteriora enormemente la relación sexual.

▲ De la misma forma, si hay algo que va mal dentro del ámbito sexual, no se os ocurra sacarlo a la luz en alguna discusión de otra índole. Si él ha tenido algún gatillazo, no le llames impotente, o si a ella le cuesta alcanzar el orgasmo no la insultes como frígida. A veces en el calor de la discusión uno no mide la magnitud de los insultos y a veces, cuando las cosas se enfrían, ya no hay marcha atrás para lo que se dijo con motivo del enfado.

Como ves hay muchas maneras de decir las cosas y no tienen por qué resultar molestas. Hay muchas personas que por no decir a la pareja que algo no les gusta, soportan caricias molestas, prácticas que no les agradan, posturas incómodas e incluso fingen orgasmos. Y todo por no ver la reacción de la pareja al destapar la verdad. No dejes que esto te ocurra. La mayoría de las veces, tres minutos de valor para decirlo o para abordar un tema que nos interesa, suelen dar paso a un montón de momentos estupendos con tu chico/a en plena confianza.

[
Si algo no ha salido como esperabas, procura no hablarlo justo después de hacer
el amor, y nunca lo hagas en tono críti-
co. Trata siempre de hacer hincapié en
lo positivo y, después, con más tranqui-
lidad (digamos «en frío») coméntale los
problemas que puedan haber surgido.
]

SITUACIÓN

Crear una situación propicia es importante a
la hora de hacer el amor. Generalmente, las pri-
meras veces que haces el amor con alguien, incluso los primeros meses, importa menos el contexto, lo que os rodea, porque tienes tantas ganas
de la otra persona que no piensas casi en nada más
y puedes olvidar detalles que en ese momento pasan totalmente desapercibidos. Pero mantener
una relación «fresca» día tras día requiere esfuerzo
y a medida que pasa el tiempo avanza es importante ir agudizando la imaginación y prestar atención a los detalles. ¡Los pequeños detalles son vi-
tales para encender chispas! Veamos cómo se
puede crear la situación perfecta:

▲ Dónde... Para empezar, tratad de buscar un sitio cómodo o, en su defecto, un lugar que esté algo apartado y sea íntimo. Hay muchas personas que no tienen la posibilidad de hacer el amor en una buena cama, en un sofá, en una alfombra mullida... En estos casos la consigna es encontrar el lugar más privado posible para favorecer la relajación. Mucha gente joven no tiene más remedio que hacer el amor en el coche, con la consiguiente incomodidad y nervios por si alguien molesta o interrumpe. Para esto no hay ninguna solución, solamente procurar la máxima intimidad y tratar de preparar de vez en cuando un plan diferente, como ir a un hotel o dormir en casa de algún amigo.
Y si tenéis la oportunidad, cambiad el escenario donde hacer el amor. La mayoría de las parejas hacen el amor en su cama, pero les resultará mucho más excitante no poner límites: en la cocina, en el sofá, de pie, en una mesa... ¿Has visto la versión moderna de *El cartero siempre llama dos veces*? ¡Jessica Lange y Jack Nicholson tienen un «encuentro amoroso» en la mesa de la cocina que merece la pena ver!

▲ Iluminación... Generalmente una iluminación suave favorece un ambiente más íntimo, por lo que la luz tenue suele ser la favorita de los amantes. De alguna manera, al estar medio en penumbra, desaparecen con más facilidad las inhibiciones y la vergüenza que algunas veces entorpecen una buena relación sexual.

Además, la luz algo tenue permite disimular esas imperfecciones que te traen de cabeza, aunque lo más probable es que tu pareja ni haya reparado en ellas...

¿A plena luz del día? Por qué no... Generalmente, hacer el amor con mucha luz corresponde a los encuentros no planeados, a un momento improvisado que surge de repente. También puede tener su encanto.

Lo ideal es que varíes las costumbres y, si tienes por norma preparar el ambiente antes de hacer el amor, no está de más que algún día te lances a tu pareja a plena luz del día. ¡Pruébalo!

Evita la completa oscuridad. Una relación sexual tiene mil cosas positivas y, desde luego, una de ellas es poder ver la cara de tu pareja cuando hacéis el amor y que, igualmente, pueda ver la tuya. No te pierdas eso. Aunque te dé vergüenza, haz el esfuerzo de no apagar del todo; la tercera vez que abandones la oscuridad total te alegrarás de haberlo hecho.

▲ De fondo... ¿Hay que poner música? ¿De qué tipo: suave y romántica o lo más cañera posible para activarnos? Como en todos los aspectos que venimos tratando, vosotros elegís lo que más os guste, aunque siempre es recomendable cambiar de vez en cuando vuestras preferencias habituales.

Generalmente, cuando se prepara una cena, cuando llevas días esperando ese momento, lo normal es decantarse por una música suave. Si te has dado un baño con tu pareja, o vais a empezar con un masaje no es recomendable poner música muy acelerada porque podría estropear el momento de relax. Si te gusta combinar algo lento con algo movidito, una recopilación o la banda sonora de una peli es lo ideal: diferentes temas y ritmos que se pueden ajustar a los diferentes momentos de la relación sexual.

▲ ¿Pongo flores, enciendo incienso, debo perfumar la habitación? Las flores, si tienes presupuesto, por supuesto que sí. Respecto a los perfumes, no confíes demasiado en los olores fuertes porque pueden resultar agobiantes. Si pones una barrita de incienso o velas aromáticas, por ejemplo, deja una rendija de la ventana abierta para que el olor no os sature. Ten en cuenta que cuando vas a comprar una esencia o un aceite y lo hueles en la tienda puede resultarte agradable, pero es posible que si lo usas para esparcirlo por la espalda de tu pareja, o para perfumar toda una habitación puede llegar a molestar. Mejor olores muy suaves y buena ventilación.

[
Procura que las ventanas no queden muy abiertas, ya que los más probable es que os quedéis desnudos. Tal vez con el calor corporal no os deis cuenta pero podéis resfriaros.
]

Gozar

Muchas personas esperan que sea su pareja la que les excite para gozar en la relación sexual. Desde luego, no pueden estar más errados. No basta con pensar que tu pareja va a excitarte. Probablemente muchos de los problemas que se instalan en las relaciones sexuales surgen precisamente de esta pretensión equivocada: estás esperando a que tu pareja te excite y ves que eso no ocurre del todo porque no pones de tu parte. Déjame que te diga que cada uno es responsable de su erotismo. Tu placer no depende de que la otra persona te lo provoque sino de que, junto a lo que tu pareja te provoca, tú también te provoques, ¡cómo no!

En general los hombres aceptan mejor esta faceta, y son más responsables de su erotismo, mientras que la mujer es algo más pasiva y suele esperar que la pareja le proporcione placer. Recuerda que el sexo no es algo que una persona le hace a otra.

Trata de desinhibirte, de disfrutar, de olvidar lo que te rodea y de centrarte en lo que estás haciendo. Algo que le encantará a tu pareja mientras hacéis el amor es ver cómo disfrutas, cómo te olvidas de todo y te entregas a él/ella.

¿Por qué los chicos siempre tienen más ganas de hacer el amor?

Ésta es la eterna incógnita. Es cierto que, en general, los chicos tienen más predisposición a hacer el amor y son menos perezosos a la hora de improvisar un momento erótico, pero no lo es menos que las chicas han aprendido tan bien esta lección que suelen dejar que sean ellos los que inicien el momento. Sin embargo, ellas también tienen que esforzarse en tomar la iniciativa y no esperar que sea su pareja la que lleve la voz cantante. Además, hay que tratar de vencer la pereza y dejarse llevar: improvisa alguna vez y deja de pensar en lo que te rodea. Quizá ellos lo hacen con más facilidad que ellas.

ROMPER LA RUTINA

Tú ya sabes lo que le gusta, conoces todas sus manías, cómo reacciona a cada cosa... En todas las relaciones de pareja, a medida que pasa el tiempo, se pueden ir instalando ciertas costumbres que te internan en una rutina que hay que tratar de variar. La monotonía es fruto, básicamente, de la falta de novedad: «No se me ocurre nada nuevo que hacer con mi chico, creo que ya lo he probado todo...». Te proponemos algunas variantes para evitarla:

▲ Cambiar la hora de hacer el amor. Aunque normalmente prefieras un momento del día para hacer el amor, puede ser excitante cambiar el «chip» y hacerlo en otro momento no habitual para ti. Por ejemplo, despierta a tu pareja en mitad de la noche colmándole de besos o caricias, y cuando haya abierto los ojos prueba a hacer el amor. O bien, inicia un encuentro sexual nada más despertarte... Los efectos del cambio pueden resultar increíbles, sobre todo por ver la sorpresa de tu pareja, que no está acostumbrada a eso.

Si no convives con tu pareja y no tenéis la oportunidad de hacer el amor en diferentes momentos del día, no te preocupes, aprovecha el ratito que tienes con él/ella. Hay muchas más ideas a lo largo del libro para que tengas una estupenda relación sexual.

▲ Cambio en la toma de iniciativa. A la mayoría de los chicos se les educa en la creencia de que son ellos los que tienen que tomar la iniciativa en las relaciones sexuales, los que tienen que ser fuertes, etcétera. E igual que gran cantidad de chicos piensan eso, muchas chicas creen que, efectivamente, son ellos los que tienen que dar el primer paso. Esta forma de pensar ha pasado a la historia y es una creencia tan antigua que debería desaparecer de la educación y, por tanto, de nuestras cabezas.

Tanto la mujer como el hombre deberían intercambiarse los papeles en cuanto a sus relaciones sexuales se refiere. Lo más habitual es que uno de los dos suela tomar la iniciativa a la hora de hacer el amor y puede ser que os hayáis acostumbrado a que sea de esta manera. A veces, por pura pereza, esperas a que sea tu pareja quien se te acerque con cariños para comenzar la relación sexual. De acuerdo, pero ahora trata de cambiar el papel: es tan sencillo como que un día comiences a besarle y a tocarle como signo de que quieres hacer el amor. También puedes decírselo al oído, por ejemplo: «¿Sabes qué me apetece?», y a partir de ahí, ya sabes...

¿Por qué si una chica toma la iniciativa parece que es ninfómana?

Tienes razón, eso ocurre, pero afortunadamente esta forma de pensar tiene los días contados. Para entenderla, piensa que, como antes comentaba, los hombres han sido educados para que fueran ellos los que tomaran la iniciativa, los fuertes y decididos. Se explica así que el chico que siempre ha pensado de esta manera, cuando se topa con una chica que dice lo que quiere y toma las riendas, se asusta y se descoloca un poco. Quizá en un principio le pueda resultar difícil alterar sus esquemas pero sólo es cuestión de tiempo que él entienda que las cosas cambian. Además, también es importante que tú se lo hagas ver a tu manera, que comprenda que los deseos, las apetencias, pueden ser los mismos en un determinado momento... igual en un hombre que en una mujer. Exprésalos sin miedo. Si tu pareja es tan retrógrada que no lo comprende, quizá necesites una buena reflexión con respecto a vuestra relación.

▲ Pon en marcha propuestas desacostumbradas. Aunque te parezca una cursilería, esfuérzate en ser romántico/a de vez en cuando. No sólo se trata de hacer regalos sino de estar pendiente de él/ella: no olvides las fechas importantes para ambos, intenta cada día hacer algo especial sólo para vosotros dos. Tan sólo tienes que tener los ojos bien abiertos y los oídos a punto para sorprender con algo que le pueda apetecer.
Por ejemplo, aunque la cocina no sea lo tuyo, prepárale una cena con velas, con una mesa bien puesta... O llévale a ver una película que le apetezca, escribe alguna nota divertida donde le digas algo que te apetece que hagáis juntos, planea un viaje romántico...

¿Si le regalo flores a un chico
se sentirá ridículo?

No tiene por qué y, desde luego, si se siente ridículo es cosa suya. No te cortes y lánzate a regalarle una flor. Lo más probable es que le encante. Igual que no son ellos los que siempre han de tomar la iniciativa, también ellas pueden ser románticas y hacer esas cosas que siempre se les han atribuido a los hombres... Las flores son unisex y cuando se las regales a un chico que nunca las ha recibido se quedará boquiabierto. Éxito casi asegurado.

[El sexo es divertido. Experimenta con tu pareja y si algo no sale como esperáis no le deis importancia, mejor tomarlo con «filosofía» que de manera dramática. Relájate y abandónate a las sensaciones amorosas.]

CÓMO DESNUDARTE

Lo de desnudarse es todo un arte; existen muchas maneras de quitarse la ropa. Hacer el amor no siempre exige desnudez total: no te imaginas lo sensual que puede resultar dejar alguna prenda de ropa puesta.

▲ Cuando se hacen juegos sexuales y masajes es preferible desnudar el cuerpo para abarcar todas las zonas posibles. Si estáis en un coche o

similar, casi mejor que no os quedéis completamente en cueros, no vaya a ser que tengáis
que salir pitando en el momento menos pensado...

▲ Cambiad la forma de desnudaros: un día dejas que te quite la ropa y en otra ocasión te
desnudas tú mismo/a, dejando que te mire
mientras lo haces.

▲ ¡Cuida tu ropa interior! No se trata de que tengas las prendas más maravillosas en tu arma-
rio pero sí que estén en buen estado, y que te
sientas cómodo/a y atractivo/a. Es probable
que tengas mucho cariño a unas bragas de hace mil años o a tus calzoncillos con algún que
otro agujero pero seguramente algo así puede
estropear un momento de lo más sensual.

Si no esperabas tener compañía y llevas
puesta tu peor indumentaria interior, no
te recrees con el juego de desnudarte, y
deshazte de ella lo antes posible. Por el
contrario, si llevas ropa interior atrac-
tiva sería una pena desperdiciarla, así
que móntate una especie de strip-tease.
Esto alimenta el deseo de manera es-
pectacular.

▲ No es necesario que tengas siempre a mano un tanga de terciopelo rojo para excitarle, pero sí es una buena idea que reserves algo altamente erótico o que le guste especialmente para alguno de vuestros encuentros sexuales.

▲ Algo importante: ¿qué hacer con los calcetines? Es posible que conozcas a alguna persona que le guste ver a su pareja completamente desnuda y con los calcetines puestos, pero te aseguro que esa persona se encuentra entre una aplastante minoría. No hay cosa que sea menos erótica que dejarse los calcetines puestos tras haberse desnudado. ¡Tenlo en cuenta!

PRUEBA COSAS NUEVAS

Experimentar es la única manera de comprobar si algo te gusta o no. ¿Has probado a compartir alguna fantasía con tu pareja? ¿Habéis visto alguna vez una película erótica juntos? ¿Le has dado un masaje sensual? ¿Cambiáis a menudo de posturas a la hora de hacer el amor? ¿Qué juegos practicáis? Éstas son algunas de las múltiples posibilidades que tienes para variar y, si lo piensas, seguramente tú podrás aportar aún más cosas para dar color a tu sexualidad. Prepárate porque, en capítulos sucesivos, vamos a ver una a una algunas de esas propuestas.

No debes tomarte la relación sexual tan sólo como un desahogo. Por supuesto que proporciona relax pero la finalidad es disfrutar con alguien, no por tu cuenta. Si te apetece hacerlo a solas, no tienes más que buscar un ratito de intimidad para ti.

[
Hacer el amor no es una obligación, por tanto no tienes que sentirte presionado/a en ningún momento. Si no te apetece en una determinada situación ¡no lo hagas!
]

V

Hacer el amor a solas: la masturbación

Según el diccionario de la Real Academia, «masturbarse», que procede del latín *masturbare*, significa «procurarse solitariamente goce sensual».

Antes de abordar con detenimiento todo lo relacionado con esta práctica, es muy importante que tengas claro algo fundamental: la masturbación es una práctica sana, no tiene ningún efecto secundario, no es «malo» practicarla y, además, puedes tener la certeza de que lo hacen tanto hombres como mujeres. Por tanto, olvida todos esos cuentos negativos que has oído sobre la masturbación. No sólo no son ciertos, sino que se puede afirmar que es una actividad positiva para ambos sexos. Si logras tener esto claro, si entiendes la masturbación como algo completamente normal, también conseguirás disfrutar siempre de ella sin sentimientos de culpa, sin mal rollo.

Asumir todo esto es imprescindible, pero no quiere decir que todas las personas, por obligación, tengan que masturbarse. El hecho de que se masturben tanto hombres como mujeres, no significa que todos lo hagan. La decisión de practicarlo o no depende exclusivamente de ti; si nunca te lo habías planteado y sientes la curiosidad de experimentarlo, al menos que sea teniendo claros todos estos aspectos. Puede ser una buena idea que en alguna ocasión lo intentes, tan sólo para comprobar si te gusta.

Como decía en el primer capítulo, una de las claves principales para que las relaciones sexuales con tu pareja sean un éxito es que conozcas a la perfección tu cuerpo. Si una mujer no se ha masturbado nunca o ni siquiera ha observado sus genitales, casi con toda seguridad no sabrá guiar a su pareja en los momentos de máxima intimidad. Si ella obtiene orgasmos con facilidad y goza de las relaciones sexuales con su chico/a, puede que no eche en falta este desconocimiento de su propio cuerpo, pero si se da el caso de que tenga dificultades para lograr el clímax, el hecho de no conocerse no ayudará precisamente a solventar el problema. Es imprescindible que se examine y experimente por su cuenta. De esta manera podrá mostrar a su pareja el camino más correcto para su propio disfrute.

Resumiendo: disfrutes o no con tu pareja no puedes olvidar algo fundamental, observar y conocer bien tu cuerpo. Eso te permitirá obtener placer a solas y, por supuesto, conocerte algo mejor a ti mismo/a.

CÓMO SE MASTURBA UNA CHICA

La masturbación femenina consiste en acariciar la vulva y estimular el clítoris. Aunque cada persona siempre tenderá a hacerlo «a su manera», vamos a repasar con esta breve guía cómo hacerlo. Todo lo que sigue puede ser útil tanto para él como para ella.

▲ Comienza jugueteando por la zona del vello púbico (el monte de Venus). Puedes enredar suavemente los dedos por esa zona para ir bajando a continuación.

▲ Acaricia suavemente la vulva: los labios mayores, los labios menores y la entrada de la vagina. Pellizca con mucho cuidado los labios menores, con las yemas de los dedos, y cuando acaricies el orificio vaginal aprovecha la humedad resultante de la excitación para lubricar toda la zona.

> Durante la estimulación de los genitales toda esta zona tiene que estar lubricada. Recoge flujo de la entrada de la vagina y, si notas que la zona está algo más reseca, usa tu propia saliva para lubricarla.

▲ En el momento que comienza la excitación, el clítoris sale de su capuchón, se pone en erección, digamos. Ten en cuenta que en esos primeros momentos, conviene no estimularlo directamente o al menos no durante mucho rato, porque puede provocar cierto rechazo. Lo mejor es que acaricies por la zona pero no de manera directa el clítoris. En cualquier caso, si se lo estás haciendo a tu pareja, fíjate bien en sus gestos, que te irán mostrando su bienestar o disgusto.

▲ A medida que aumenta la excitación (es decir, se pasa a la fase de meseta) el clítoris vuelve a esconderse, y es en ese momento cuando es preferible estimularlo de lleno. Acaricia con las yemas de los dedos (dos o tres dedos, por ejemplo, según prefieras) y procura que siempre estén húmedas. El movimiento ha de ser firme; puedes presionar, frotar o pellizcar muy suavemente.

▲ Aparte de la estimulación de los genitales, acaricia otras partes de su cuerpo: las mujeres tienen muchas zonas que responden de maravilla a la estimulación sexual, como pueden ser los pechos.

▲ Si vas a introducir los dedos en la vagina, hazlo cuando ella esté plenamente excitada y a punto de alcanzar el orgasmo. Además de la penetración no olvides seguir estimulando el clítoris con la otra mano al mismo tiempo. ¡Esto es muy importante!

En la masturbación femenina no es imprescindible introducir los dedos en la vagina para obtener el máximo placer. De hecho, la gran mayoría de las mujeres obtienen mejores orgasmos con la sola estimulación del clítoris y se olvidan de la penetración. Muchos chicos no conocen este pequeño secreto de ellas y se lanzan, nada más comenzar con las caricias, a introducir los dedos en la vagina.

▲ Dentro de la vagina los movimientos han de ser relativamente suaves. Es preferible que introduzcas los dedos hasta el fondo de la vagina (donde encontrarás el cuello del útero en forma de bolita) a que balancees los dedos arriba y abajo como si fuera el pene. De todas maneras tu pareja tendrá sus preferencias, que tendrás que ir conociendo poco a poco.

[
El interior de la vagina es sumamente sensible, así que si introduces los dedos hazlo con mimo ya que puedes provocar alguna pequeña herida con las uñas sin ni siquiera darte cuenta.
]

CÓMO SE MASTURBA UN CHICO

En líneas generales digamos que la masturbación masculina es algo más sencilla que la femenina. Los hombres normalmente cogen el pene con la mano o con los dedos y lo frotan con movimientos ascendentes y descendentes hasta que sobreviene el orgasmo.

Si quieres sorprender a tu chico, aquí tienes unos sencillos consejos:

▲ Unta en tu mano una crema lubricante y comienza a acariciarle el pene. La sensación húmeda y escurridiza puede resultarle muy agradable. ¡Compruébalo!

▲ Si masturbas a tu chico frotando vuestros cuerpos o moviendo la mano y lleva la ropa interior puesta, ten cuidado porque el roce de los calzoncillos puede resultarle molesto. Ten en cuenta que el movimiento repetido en una misma zona llegará a enrojecerla. Es preferible que saques el pene por fuera del calzoncillo y le masturbes sin roces.

▲ Una idea para masturbar a un chico que no tiene prepucio, que está circuncidado, es estimular solamente, con la yema del dedo, la zona del frenillo. Sin más movimiento. Ésta es una manera un tanto inusual pero hay hombres a los que les puede llegar a agradar.

DIFERENTES MANERAS DE MASTURBARSE

Se dice que hay múltiples maneras originales de masturbarse, y puedes encontrar libros sobre ello, pero lo cierto es que la mayor parte de las veces la masturbación se realiza con las propias manos. Aun así aquí tienes algunas ideas por si quieres probar cosas nuevas.

▲ Para ellos: algunos hombres usan «simuladores de vaginas» o algún artilugio donde se introduce el pene. Se compran en tiendas especializadas.

▲ Para los dos: frotar los genitales contra algún objeto, como puede ser una almohada. Hay que recostarse sobre la almohada y realizar los movimientos que permitan llegar al orgasmo.

▲ Para los dos: probad con los pies. Lo más difícil es que hay que tener cierta resistencia en las piernas para mover el pie durante el rato que dure la estimulación. También puede ser una buena idea comenzar las caricias con el pie y una vez que el ritmo comienza a acelerarse, entonces terminar la estimulación con las manos, por ejemplo. Para masturbar a tu chico puedes coger el pene entre los dedos pulgar e índice y jugar con él arriba y abajo; también puedes agarrarlo con los dos pies. En el caso de las chicas es igual que con las manos pero con los dedos de los pies.

Ni que decir tiene que cuando vas a jugar con los pies (sobre todo en la zona de los genitales), éstos han de estar impecables, es decir, limpios y sin durezas que puedan lastimar. Cada vez que te duches frótalos bien con una piedra pómez y después aplícales crema.

▲ Para ellas: usa el chorro de la ducha, que debes apuntar hacia el clítoris hasta llegar al orgasmo. Si llevas a cabo esta práctica ten cuidado de que no entre demasiada agua en la vagina, ya que podrías dañar su flora natural.

▲ Para los dos: probad con juguetes. El más utilizado suele ser el vibrador. Se pueden usar tanto a solas como en parejas, pero ¡ojo!: no inventes por tu cuenta juguetes que no estén pensados para este fin. No introduzcas en la vagina cualquier cosa porque puede acarrearte problemas.

CÓMO ENSEÑAR A TU PAREJA

Digamos que lo ideal cuando masturbas a tu pareja es acercarte lo máximo posible a cómo lo hace él/ella en su intimidad, ya que de esa manera tendrás el éxito asegurado. En muchas ocasiones esto no se logra, bien porque hay falta de comunicación en la pareja, bien porque él o ella nunca se ha masturbado a solas, o porque, sencillamente, no te atreves a cogerle la mano y decirle como quieres que lo haga. Para solucionar esto, lo ideal sería que tú mismo/a te masturbaras delante de tu pareja y le enseñaras cómo lo haces.

Esta sugerencia, que parece tan complicada y que te da tanta vergüenza es un maravilloso ejercicio para solucionar ciertos problemas, para compartir al máximo vuestra intimidad y, además, puede convertirse en una experiencia erótica inolvidable.

Como es lógico, para llevar a cabo esta tarea es imprescindible que te hayas masturbado a solas alguna vez, de otra forma no podrás instruirle sobre lo que te gusta y lo que no.

El que una persona se masturbe aunque tenga pareja, no significa necesariamente que haya un problema en la relación. La masturbación no es una práctica sólo para «desparejados/as» y el hecho de iniciar una relación de pareja no justifica que tengas que dejar de masturbarte a solas cuando lo desees. Pongamos un ejemplo: supongamos que mantienes relaciones sexuales con tu pareja, que os masturbáis mutuamente, hacéis *pet-*

ting... etcétera, y que en un determinado momento comienzas a realizar el coito que, digamos, es «llegar hasta el final». Pues bien, a partir del momento en que habéis comenzado vuestras relaciones coitales, ¿sólo vais a hacer el amor de esa manera? ¿Vais a olvidar el resto de cosas que hacíais antes de llegar al coito? Casi seguro que no. Lo más probable es que algún día os apetezca más hacer sexo oral, o te apetezca que tu pareja te masturbe, o tengas ganas de llegar al orgasmo de otra manera que no sea el coito. Es lógico cambiar de vez en cuando.

Pues exactamente igual ocurre con la masturbación. Imagina que lo haces a menudo y de repente comienzas a salir con alguien y tenéis relaciones sexuales. ¿Deberías dejar la masturbación para subir el escalón siguiente? La respuesta es no. Igual que de vez en cuando cambias el coito por otra práctica, de la misma manera puedes compaginar tus relaciones sexuales en pareja con tus momentos privados de intimidad.

¿Debo confesar a mi pareja que no he dejado de masturbarme?

Eso depende de ti, aunque no tienes por qué ocultarlo. Habla de ello en alto, coméntale lo que sientes por él/ella, lo que opinas sobre vuestras relaciones sexuales y explícale que lo haces cuando te apetece, sin que signifique que estás insatisfecho/a. Quizá el mero hecho de hablarlo con naturalidad solucione cualquier posible incomprensión por su parte.

Si te masturbas a solas no significa que no estés satisfecho/a con tu relación de pareja. No tiene nada que ver. En cambio, si por alguna circunstancia necesitas masturbarte después de hacer el amor con tu pareja, o simplemente sientes que te satisface más masturbarte a solas que la relación con tu pareja, entonces sí conviene que abordes seriamente la cuestión y la habléis entre los dos. Es la única manera de solucionarlo.

Si empiezo a salir con una persona, ¿deben cambiar mis pensamientos a la hora de masturbarme? ¿Si no pienso en mi pareja significa que algo va mal?

No. Cada persona hace uso de su imaginación como quiere. Es decir, tú puedes crear una fantasía en la que salga tu personaje favorito y que además te excita y no tienes por qué sustituirlo si tienes pareja. La imaginación cruza los límites de la realidad y eso es precisamente lo que le da brillo y magia. No se trata de una traición hacia tu pareja. Probablemente ella o él sea protagonista en muchos de tus pensamientos al masturbarte, aunque no es necesario que siempre sea así.

EL 'PETTING'

Esta palabra anglosajona define cierta manera de practicar el sexo, pero no a solas, sino con otra persona. *Petting* significa mimar, jugar, acariciar... es sinónimo de «meter mano», y se refiere a hacer el amor pero sin llegar a la penetración, es decir, se excluye el coito, pero se incluye la masturbación en pareja.

El *petting* se suele practicar antes de llegar a las relaciones coitales, y viene a ser la primera experiencia sexual para la mayoría de las personas. Seguramente así fueron o serán los primeros contactos sexuales con tu chico/a.

VI
Mapa erógeno

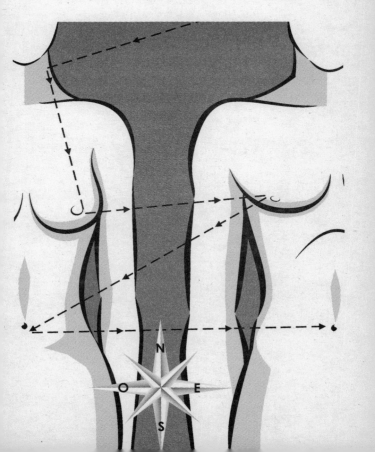

Históricamente, se han denominado zonas erógenas aquellas partes del cuerpo que desencadenan sensaciones placenteras. Esto no significa que el mero hecho de estimular una parte concreta del cuerpo active un mecanismo por el cual te excitas al momento. En absoluto. De hecho, en nuestra vida cotidiana, en el trabajo, en clase, etcétera, tocamos con regularidad alguno de nuestros «puntos más débiles» y no nos excitamos ni nada parecido, ya que, aunque todo nuestro cuerpo es sensible a las caricias, las personas necesitan «ponerse en situación» para que se desencadenen sensaciones.

En el momento que estás teniendo una relación sexual, el cuerpo se vuelve tan receptivo que hasta las caricias más sutiles pueden resultar deliciosas.

> Sentir placer al estimular una zona eró-
> gena no significa que se pueda llegar al
> orgasmo con sólo tocarla, sino que la es-
> timulación en esa parte tan sensible nos
> hace sentir a gusto y nos excita.

Existe una serie de zonas erógenas que son, digamos, universales, como los genitales, pezones y pechos, los labios y punta de la lengua, además de todas las zonas que están cubiertas de pelo, ya que tienen más receptores táctiles y son más sensibles. Pero aparte de estas claras referencias, cada persona tiene su mapa particular de zonas erógenas: por ejemplo, puede que a ti te guste que te muerdan el lóbulo de la oreja, y sin embargo es posible que a tu pareja no le agrade en absoluto.

A partir de estos datos, la tarea del buen amante es experimentar y descubrir los puntos erógenos de su pareja y ¡los suyos propios! Te sorprendería la cantidad de personas que jamás han experimentado con su pareja y al cabo del tiempo descubren sensaciones escondidas. Así que ponte manos a la obra y comienza a descubrir el mapa erótico de tu chico/a.

LOS PIES

▲ En el capítulo VII encontrarás más detalles
sobre el masaje de pies. Añádelo a este momento de tus juegos. Aprovecha para chupar
los dedos y masajear firmemente la planta
del pie.

[
Como sabes, la planta del pie es muy
sensible a las cosquillas; por lo tanto,
cuando estimules esta zona hazlo con
cierta firmeza para no provocarlas.
]

▲ Acaricia el cuerpo de tu pareja con tus pies.
Dile que se tumbe boca arriba y tú ponte de
pie. Ve arrastrando la planta del pie sobre su
pecho (si es chica con mucho cuidado), axilas,
cuello, abdomen... hasta meterlo por debajo
de sus pantalones. Juega con el vello púbico
con los dedos y vuelve a acariciar otras zonas.
Verás como le encanta.

▲ Acaricia su pene, simplemente pasando la
planta por la zona de los testículos, acariciando el perineo y después el pene, sin llegar a
tocar el glande. También puedes intentar ha-

cer el movimiento típico de la masturbación (arriba y abajo) frotándolo con su propio cuerpo, cogiéndolo con los dos pies o incluso tomando el pene con los dedos índice y pulgar y moviéndolo. Lógicamente esto requiere un poco de práctica, pero si lo pruebas unas cuantas veces acabarás por hacerlo a la perfección.

> Recuerda lo que comentábamos en el capítulo de la masturbación sobre los pies: han de estar muy cuidados si vas a incluirlos en tus juegos amorosos. ¡Imagina un pie áspero en los genitales de tu pareja! Han de estar suaves, limpios y listos para jugar.

PECHOS

En nuestra cultura occidental, los pechos femeninos son la zona del cuerpo donde más se posan los ojos, lo que más gusta a los hombres, lo que más preocupa a las mujeres... Puedes encontrar una mujer a la que no le agrade este tipo de estimulación y no te deje tocarle los pechos ni pezones, aunque lo más habitual es que le encante que le estimules tanto con las manos como con la boca. En algunos casos hay mujeres que pueden llegar al orgasmo con la sola estimulación de pechos y pezones. Algunos consejos para ellos:

▲ Nunca presiones con fuerza. Puede que hayas visto en alguna película cómo el hombre «magrea» los pechos con cierta violencia y a ella parece gustarle... Pues lo cierto es que, en general, no agrada en absoluto. Tienes que tratarlos con delicadeza. Cuando ella esté muy excitada puedes hacer más fuerte la presión pero calcula bien para no hacerle daño. Observa su cara y deja que sea ella quien te guíe.

▲ No te empeñes en ponerle los pezones duros. Habitualmente, cuando la mujer se excita los pezones se erectan, pero hay mujeres a las que los pezones no se les ponen tan firmes, por tanto no mordisquees ni estimules más de la cuenta esta zona, porque lo único que conseguirás es que las caricias lleguen a ser molestas. A veces, un simple roce con las yemas de los dedos por el lateral del pecho o por la parte baja de éste puede ser más efectivo para poner duros los pezones que la continuada estimulación en los mismos.

▲ Las caricias han de ser espaciadas. Es decir, una vez que llegues a los pechos, no te quedes ahí. Bésalos un rato, tócalos y vuelve a otra zona. Siempre queda tiempo para regresar a ellos.

▲ Ten en cuenta los cambios en el ciclo menstrual. Puede que un día te sorprenda la reacción de tu chica cuando te dirijas a sus pechos. A ella le suele gustar y hoy no: ¿por qué ocurre esto? Puede ser por dos razones, bien porque hoy le apetezca otro tipo de estimulación, cosa que es perfectamente normal y que además puede ser una variación interesante y, por otra parte, es posible que le vaya a bajar la regla en unos días y los tenga algo más hinchados y sensibles. Algunas mujeres con el solo roce del sujetador ya se sienten incómodas, con que imagina lo que pasa con una estimulación directa.

▲ Pon las yemas de los dedos en el canalillo y muévelos hacia fuera, como si los separaras. Igualmente masajea con suavidad desde los pechos hasta el cuello y la garganta.

▲ ¿Has oído hablar alguna vez de «la cubana»? Consiste en masturbar al chico con los pechos. Para realizarla bien es necesario tener los pechos un tanto voluminosos, así que si es tu caso y quieres probarlo, abraza su pene entre tus pechos y frótalo arriba y abajo, a ver si le gusta...

A veces no hay necesidad de hablar para averiguar lo que le gusta, simplemente probando juegos, caricias, etcétera, obtienes la respuesta deseada. Nada más fácil que olvidarte un poquito de ti en ese momento y centrarte de lleno en su respuesta. Apunta en tu cabeza y recuerda para la próxima vez.

Los chicos suelen prestar, como hemos dicho, especial atención a los senos femeninos: su volumen, su forma, etcétera. Sin embargo, algunas veces parece olvidarse que ellos también tienen pechos y que puede encantarles que se los acaricies.

Sólo tienes que atreverte a jugar en esta zona. ¡Pruébalo! Sus pezones son una zona muy sensible y seguramente tu chico aceptará de buen grado cualquier tipo de caricias, sobre todo cuando esté excitado. ¿Cómo se estimulan? Exactamente igual que los femeninos ¡claro!

No te empeñes en determinadas caricias. Puede que hayas oído alguna vez que cierta estimulación es «infalible» a la hora de hacer el amor, o es posible que con tu anterior pareja practicaras alguna estimulación concreta que os daba muy buenos resultados, y ahora lo intentes de nuevo sin mucho éxito. Eso no quiere decir que hayas «perdido facultades», sino que en este momento tienes delante a una persona con gustos diferentes a lo que tú estabas acostumbrado/a. Trata de amoldarte a las nuevas circunstancias y aprende desde cero. También tiene su gracia, ¿no crees?

EL ROSTRO

Parece mentira que en una zona tan pequeña pueda haber tantas posibilidades. Toma nota:

▲ Besa su boca de mil maneras: acaricia los labios con la lengua, juega con ella en su boca y entrelázala con la suya, mordisquea, besa la comisura de ambos labios, succiónalos suavemente... (para más detalles, consulta el capítulo II).

▲ Dedica unos minutos al lóbulo de su oreja: pasa la punta de la lengua por el oído, sin llegar a introducirla del todo y bordea con ella el resto de la oreja. Suspira cerca y asegúrate de que escucha tu respiración... Seguramente tu aliento cerca de su oreja le pondrá los pelos de punta. Prueba a susurrarle algunas palabras al oído y haz como si ronronearas. Eso le encantará.

[Si besas la oreja hazlo con besos suaves y pequeños. ¡No le plantes un besazo en pleno oído porque casi seguro le molestará!]

▲ Toca con las yemas de los dedos sus ojos (muy suavemente) y bésalos. Ten cuidado de no presionarlos hacia adentro. La piel del párpado es muy sensible, de manera que si pasas la punta de la lengua por aquí, tendrá una sensación muy agradable. Controla la saliva... ¡no te olvides de que estás en los ojos!

▲ Pasa del cuello a la barbilla, y de ahí a la boca, con tu lengua y tus besos. Coge la mejilla con las dos manos, mete los dedos entre su pelo y tira muy suavemente de él, mientras le miras fijamente a los ojos...

DE CUERPO ENTERO

¿Has oído hablar alguna vez del «tailandés»? Parece ser que es un tipo de masaje que se da con todo el cuerpo... Pues exactamente ésa es la propuesta aunque, por supuesto, mejor que lo hagas a tu manera. No se trata de que seas experto/a en el tema, sólo que te lances y pruebes. Dile a tu pareja que se ponga boca abajo y túmbate encima suyo, apoyando los brazos para no aplastarle. Frota tu vientre y pechos suavemente sobre su espalda y muévete sobre él. Pregúntale si le ha gustado. Después dile que se coloque boca arriba y comienza un recorrido inolvidable...

▲ De cintura para abajo, el perineo es una de las zonas más olvidadas de nuestro cuerpo a la hora de hacer el amor. Es el trocito de piel que queda entre los genitales y el ano, tanto en el hombre como en la mujer. Sobre todo en los hombres, es una zona extremadamente sensible y si la estimulas, bien con los dedos o bien a base de besos y lengua, tu pareja no olvidará la sensación. Así que no la abandones, quédate y juega.

En el caso del chico, cuando le estés estimulando el perineo, puedes completar la jugada acariciando a la vez los testículos: es decir, bésalo, presiona ligeramente con los dedos y viaja hacia los testículos y ano respectivamente. En el caso de la mujer, exactamente igual: estimula la zona del ano y la vulva compaginándolo con las caricias en el perineo.

> Observa en todo momento la reacción de tu pareja mientras lo haces y prueba a preguntarle después de la relación sexual sobre lo que ha sentido. Seguro que no le decepciona.

▲ Las nalgas son también una zona muy sensible. Araña (¡sin dejar marca!), pelliza y haz como si amasaras los «cachetes» del culo. Todo ello con suavidad, por supuesto. Cuando estéis muy excitados puedes dar unas palmadas algo más contundentes, pero no olvides que este tipo de «caricia» puede generar cierto rechazo en tu pareja, así que hazlo con precaución. Si notas que su gesto ha cambiado tras recibir los azotes, explícale inmediatamente cuál era tu intención.

▲ Aunque más adelante vas a encontrar un capítulo íntegramente dedicado a la estimulación anal («Más prácticas», capítulo XII), quiero recordarte la importancia que tiene esta zona del cuerpo. Quizá no estés muy acostumbrado/a a verlo como zona erógena, pero si en algún momento sientes la curiosidad de estimular el ano, con la lengua o con simples caricias, descubrirás probablemente sensaciones placenteras, y si lo pruebas con tu pareja casi seguro que también acertarás.

Zonas menos erógenas

Tampoco vamos a exagerar diciendo que todo nuestro cuerpo es altamente erótico y que todo él responde de maravilla a la estimulación sexual.

Está claro que tu pareja tiene sus preferencias, sus zonas clave, y tu labor es conocerlas y «hacer uso de ellas». Sin embargo, también encontrarás zonas poco sensibles ¡que no debes olvidar en la relación sexual!, aunque, por mucho que incidas en ellas, tampoco lograrás maravillas. Un buen ejemplo pueden ser los codos o las rodillas, o algunas otras partes que a él/ella no le guste que acaricies. Con un poco de paciencia y mucha observación lograrás hacerte experto/a conocedor/a de su cuerpo.

Como ves, hay tantas posibilidades como puedas imaginar. En el momento que te propongas dar placer a tu pareja o desees enseñarle tus puntos flacos, lo mejor es que te olvides de lo que te rodea y comiences a probar, a jugar, a entretenerte, a experimentar nuevas sensaciones, a disfrutar sin tapujos. Deja tus complejos a un lado y anima a tu pareja a que haga lo mismo. Sólo así encontraréis un placer sin límites.

VII
Masaje sensual

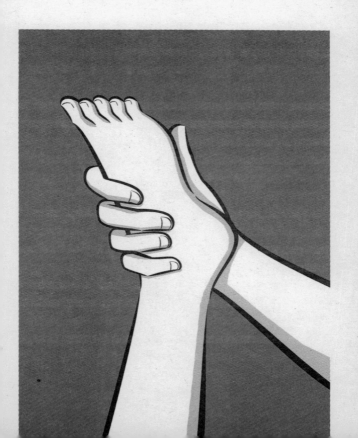

Para dar un buen masaje no necesitas ser un experto/a masajista. Basta con prestar un poco de atención al cuerpo de tu pareja y tener paciencia para dedicarle un buen rato. El masaje es una de las mejores maneras de explorar y conocer el físico de tu chico/a. Permite relajar tensiones y es una forma de prepararte para la relación sexual. La finalidad del masaje sensual no es necesariamente llevar a la relación sexual; lo mejor es que lo disfrutéis ambos, sobre todo quien lo recibe, y que te diviertas al máximo. Conseguirás, además de relajación física, un perfecto equilibrio emocional y la posibilidad de compartir con tu pareja una estupenda experiencia de comunicación e intimidad. Y nunca mejor dicho, puesto que podéis explorar mutuamente cada milímetro de la piel... ¡prepárate!

PARA UNA SESIÓN DE MASAJE PERFECTA

Ya que estás decidido/a a preparar al milímetro el masaje, aprovecha para darte una buena ducha antes de recibirlo. Y si os apetece, daos la ducha juntos, así vais preparando el momento...

Sobre el masaje, conviene anticipar que:

▲ No tiene como fin provocar el orgasmo, así que no lo esperes. Puede que el resultado sea que te excites al máximo, pero no tienes que estar pendiente de ello.

▲ No te sientas obligado a darlo. Si hoy estás cansado/a y a tu pareja le apetece mucho, mejor posponerlo para otra ocasión en que ambos estéis bien dispuestos. Para darlo bien es imprescindible que estéis motivados.

▲ Intercambiad los papeles a la hora de dar el masaje. Aunque tu pareja sea tan amable de masajearte siempre, ten un detalle y devuélvele el favor de vez en cuando. De todas maneras, lo ideal es que un ratito lo haga uno y después el otro, así quedáis igualados.

Algunos consejos para preparar el ambiente:

▲ Lo primero es escoger un sitio cómodo y tranquilo. No queremos interrupciones ni prisas. Tienes que elegir el sitio más confortable que puedas.

▲ Ventila bien la habitación y una vez hecho cierra las ventanas para que no haga demasiado frío. Unos 24 grados es lo ideal. Como no todo el mundo tiene un termómetro ambiental en casa piensa que la temperatura ideal es aquella en la que te sientas a gusto desnudo/a.

▲ Poneos sobre un colchón que no sea muy blando o sobre una alfombra bien mullida. Ten almohadas o cojines a mano para apoyarte. Si vas a dar tú el masaje puedes poner los cojines bajo las rodillas para no hacerte daño. Ten en cuenta que tendrás que estar arrodillado/a un rato y puedes cansarte de la posición.

▲ Te puedes colocar encima de tu pareja, sentado/a a horcajadas por debajo de sus nalgas, con las piernas cruzadas (como un indio) sobre la cama o con tus rodillas flexionadas y a la altura de su cabeza.

▲ Ten algo a mano para tapar las zonas que no estés masajeando, en caso de que tu pareja tenga frío. Además, procura tener una toalla para limpiar los restos de aceite o crema.

Recuerda, no des nunca un masaje:

▲ Sobre zonas irritadas o alguna infección; tampoco cuando la persona tenga fiebre.

▲ Con alguna inflamación. No conviene dar masajes en las piernas si se tienen varices.

▲ En caso de que duela la espalda.

▲ Si la pareja está siguiendo algún tipo de tratamiento médico o psiquiátrico. Lo mejor es consultar primero con el médico.

▲ Nunca presiones los huesos con fuerza, sólo zonas blandas.

Sobre el uso de aceites o esencias:

▲ Se pueden utilizar para que el masaje sea más fluido y sencillo. Puedes consultar lo que se dice en el capítulo IX («¡Juegos y más juegos!») sobre los aromas intensos. No uses esencias con olores muy fuertes porque pueden llegar a molestaros. También puedes usar cualquier crema hidratante.

▲ Pon un plato debajo del bote de aceite, no vaya a manchar la superficie en la que lo dejas.

▲ En el capítulo IX también se detallan los efectos de una serie de aromas que te pueden ir a la perfección en el masaje.

[Cuando vayas a untar el aceite o crema, no lo apliques directamente sobre la piel, ya que puede resultarle demasiado frío. Échatelo en las manos y frótalas y después extiéndelo sobre su cuerpo.]

HERRAMIENTAS BÁSICAS

Las manos son tu principal arma para dar el masaje. Después vendrán la boca, la lengua... Presiona con la palma, las yemas, los pulgares... Apoya toda la mano y siente su cuerpo. Relaja las muñecas. Separa los pulgares para llegar a las zonas más escondidas. Usa la región tenar de la mano (casi la muñeca) para masajear una zona que esté especialmente tensa. Hay dos técnicas principales:

▲ Fricción en abanico: coloca las manos paralelas, los dedos juntos y señalando la dirección del movimiento. Deslízalas usando la misma presión con las dos. Abre los dedos en direcciones opuestas, en forma de abanico y redondea el movimiento. Repite el movimiento a lo largo del cuerpo.

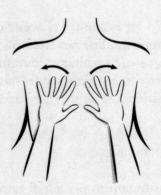

▲ Fricción circular: apoya en el cuerpo las manos paralelas y ligeramente separadas. Muévelas desde la muñeca en el sentido contrario al de las agujas del reloj. Es muy sencillo.

Puedes combinar estos tipos de movimientos con otros que se te ocurran, siempre y cuando le agraden a tu pareja.

LA PERSONA QUE RECIBE EL MASAJE ESTÁ BOCA ABAJO...

Pies

▲ Técnica de masaje: frota los dedos de los pies, estirando, amasando y echando hacia delante cada uno de ellos y después fricciona suavemente las zonas entre los dedos. A continuación, pasa las palmas de las manos firmemente por las plantas de los pies y luego por el empeine. Haz rotar el tobillo unas cuantas veces hasta que este flojo y relajado. Sube poco a poco por la pierna, ocupándote de la parte posterior de los muslos. Recorre la pierna con la mano desde el tobillo a la rodilla y viceversa, apretando con suavidad la pantorrilla con las puntas de los dedos.

▲ Toque sensual: después, besa y lame la depresión que se encuentra justo detrás de la rodilla. E incide en la zona que queda justo debajo de las nalgas. Presiona con los dedos, besa, sopla suavemente lo que has dejado húmedo.

Nalgas

▲ Técnica de masaje: mueve las manos con movimientos circulares sobre sus nalgas. Puedes hacer como si amasaras, aprieta con cierta firmeza. Una vez hayas estimulado bien la zona, combina los toques firmes con algunos más suaves.

▲ Toque sensual: recorre de manera sutil con tu lengua justo la abertura que separa las dos nalgas. Sin profundizar más.

Brazos y espalda

▲ Técnica de masaje: empieza por los hombros y baja toda la espalda, sin oprimir la columna. Presiona con las yemas de los dedos los costados, hasta llegar a las caderas. Frota luego los brazos, como si le batieras, y relaja sus muñecas.

▲ Toque sensual: recorre a besos la espina dorsal, desde la nuca hasta el trasero. Y ¡por qué no! a lametazos. Después sopla lo que has chupado. Le encantará.

Zona cervical

▲ Técnica de masaje: fricciona los músculos que hay entre los omoplatos y la base del cuello. Luego, haz descender las manos y frota los costados de tu pareja con las puntas de los dedos. Amasa los hombros y, reduciendo la presión, la nuca. Pon una mano en su nuca y la otra en el comienzo de la espalda. Masajea con ambas manos hacia el comienzo del cuero cabelludo.

▲ Toque sensual: besos, caricias... ya sabes cómo hacerlo, ¿no?

En el momento en que la persona se pone boca arriba el masaje se va convirtiendo en algo más sensual, ya que en la parte delantera encontrarás sus zonas más sensibles (te recomiendo consultar el capítulo anterior).

Recorre el cuerpo

▲ Técnica de masaje: fricciona los muslos, subiendo lentamente hacia el pubis y el ombligo; una vez allí, por debajo de éste, presiona levemente. En el caso de las chicas si presionas justo antes del hueso del pubis estarás masajeando la zona donde se encuentra el punto G, lo que puede resultarle muy agradable. Pasa por encima de las costillas, traza la forma de los senos, o de los pectorales, con la punta de los dedos y da un suave masaje.

▲ Toque sensual: desde los muslos puedes pasar por las ingles y genitales (muy superficialmente), y estimular los pechos (vuelve a consultar el capítulo anterior, donde se explica al detalle cómo hacerlo).

No te entretengas en las zonas erógenas más de la cuenta. Recuerda que estamos dando un masaje, todavía no hemos llegado a la relación sexual.

VIII
Mantenerse en forma

A la hora de hacer el amor un montón de músculos trabajan a la vez. Puedes encontrarte con que después de una noche de pasión total, apenas te puedas mover de las agujetas que tienes, como si hubieras corrido la maratón. Y es que, cuando se practica sexo, pones en funcionamiento los glúteos, el abdomen, la pelvis... y mucho más, por lo que es importante estar en forma, y mucho más si pretendes encontrarte ágil para probar diferentes posiciones al hacer el amor.

▲ Piernas: tienes que fortalecer los muslos. Es fundamental sobre todo si pretendes practicar el coito de pie porque todo el peso de tu pareja recaerá sobre tus piernas, además de los brazos que tendrán que ayudar a sostenerla. Para conseguirlo, túmbate cabeza abajo y sube y baja cada pierna lentamente de 10 a 15 veces.

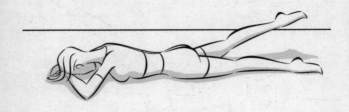

▲ Nalgas: el culo es una zona muy descuidada del cuerpo, aunque tiene mucha importancia en las relaciones sexuales. Puedes hacer un ejercicio típico en el que te pones de rodillas con las manos apoyadas en el suelo: levanta la pierna con la rodilla doblada, formando ángulo recto; manténla así 5 segundos. Repite el ejercicio con cada pierna 15 veces. Eso le dará fuerza a los glúteos, ya lo verás.

▲ Abdomen: cuando las piernas están abiertas, toda la zona del abdomen está en tensión, igual que cuando incorporas parte del tronco. Para ejercitar esta zona, eleva el tronco con los codos extendidos; haz 3 series de 10 flexiones.

▲ La flexibilidad es muy importante también. Los hombres, por regla general, son menos flexibles que las mujeres, pero son ellas las que normalmente tienen que adoptar posiciones más complicadas a la hora de hacer el amor. Por ejemplo, cuando la penetración es muy profunda las piernas suben más de tal manera que las rodillas se acercan cada vez más a la cara y, como es lógico, cuanto más ágil estés más tiempo aguantarás en esta postura sin cansarte.

BUENOS HÁBITOS

Siempre se habla de llevar una vida sana, no hacer muchos excesos... etcétera. Sí, es un gran tópico, pero completamente cierto: si no te cuidas, tarde o temprano, en mayor o menor medida, todas tus actividades se verán afectadas y, entre ellas, tu sexualidad. No se trata de decirte que cambies de hábitos radicalmente, pero sí que prestes atención a cosas que pueden parecer bobadas de una manera aislada pero que tienen mucha repercusión a nivel general.

▲ Como bien sabes, el alcohol y el tabaco son enemigos eternos. Casi no hace falta que te diga más. El tabaco aumenta el nivel de monóxido de carbono en la sangre y dificulta la circulación sanguínea entre otras muchas cosas. El alcohol, en pequeñas dosis, te puede hacer sentir de maravilla en determinadas circunstancias; te da una enorme seguridad y la impresión de que eres capaz de hacer cosas impensables en otras circunstancias, pero ese efecto es pasajero y engaña mucho más de lo que aporta. En concreto, actúa sobre tu ejecución sexual: sí, es cierto que retrasa la llegada de la eyaculación en el hombre, cosa que puede resultar muy agradable, pero el orgasmo será mucho menos intenso de lo habitual e incluso puede no producirse. En las mujeres ocurre algo parecido: para empezar, puede inhibir la lubricación, lo que dificultará o impedirá el coito; los orgasmos serán más difíciles de conseguir, menos intensos, o directamente no se producirán. Además, en las personas que abusan del alcohol habitualmente estos y otros problemas pueden llegar a hacerse crónicos.

▲ Por lo que respecta a las comidas, como regla general cuanto más ligero/a te sientas, mucho más fácil para ti y para tu pareja hacer el amor. Olvídate de las modas de estar superdelgado/a y esbelto/a, ésa no es la cuestión. Lo importante es que te sientas a gusto con tu cuerpo y que comas cosas sanas. No te des un atracón antes de hacer el amor porque te notarás mucho más torpe de lo habitual. Los movimientos se hacen más lentos, respiras peor y tu agilidad disminuye enormemente. Si preparas una cena o salís a un restaurante, comed cosas ligeras que os mantengan después despiertos y con ganas de brincar.

▲ Cuida la higiene de la boca: lávate los dientes después de cada comida y si no tienes a mano el cepillo, unos caramelos o chicles de menta pueden servir para un apuro. No hay cosa más desagradable que besar a una persona con mal aliento.

«EL MÚSCULO DEL AMOR»

Su nombre oficial es músculo pubococcigeo y es el responsable, en gran medida, del orgasmo femenino y, por qué no, también del masculino. Si este músculo está bien ejercitado los orgasmos aumentarán su intensidad y también facilitará que aquellas mujeres a las que les cuesta alcanzarlo lleguen a tenerlo sin problemas. En definitiva, es muy importante que la mujer lo fortalezca, porque lo agradecerán tanto ella misma como su pareja. Vayamos por partes.

¿Dónde se encuentra ese músculo? No es nada difícil de localizar: está en la entrada de la vagina, tan sencillo como eso. Primero veremos las ventajas de ejercitarlo y después cómo hacerlo:

▲ Si contraes este músculo durante el coito, facilitas que llegue tu orgasmo, que se haga más potente y además que tu pareja disfrute más. Piensa que si él introduce su pene en tu vagina y tú se lo aprietas, estarás creando una mayor presión, lo que redunda en un mejor orgasmo cuando se libera la tensión. Cuanta más tensión acumulada, más agradable su descarga.
Al principio te parecerá difícil compaginar vuestros movimientos con tener que estar contrayendo y aflojando, pero al cabo de unas cuantas «clases prácticas» lo harás de manera automática sin ningún problema.

[Prueba lo siguiente: cuando tu chico tenga el pene dentro de la vagina quedaos quietos, solamente contrae y relaja el músculo pubococcigeo. Sólo eso. Mira la cara de tu chico y saca tus propias conclusiones.]

▲ Aparte de razones puramente enfocadas al placer, también es muy importante tonificar el suelo pélvico después de dar a luz. La razón es que tras el parto la musculatura que sostiene el útero y la vejiga se debilita. Si esto ocurre, pueden producirse pérdidas de orina, disminuye la sensibilidad sexual y la intensidad de los orgasmos. Si después de dar a luz notas que no tienes orgasmos tan placenteros como antes, quizá debas achacarlo a esto y no a otro tipo de problemas. Seguramente ni se te había ocurrido.

Para fortalecer el músculo pubococcigeo tan sólo tienes que practicar los ejercicios de Kegel (llevan el nombre de su descubridor). Hazlo a diario y verás como en poco tiempo notas la mejoría.

La finalidad de dichos ejercicios es contraer y relajar la musculatura sólo de esa zona, evitando hacerlo con los músculos de glúteos y nalgas, muslos, abdominales o vientre.

Imagina que te estás orinando y no tienes ningún sitio donde hacer pis. Tendrás que aguantar hasta que encuentres el lugar adecuado; esa contracción que haces es la que tienes que practicar. Más fácil todavía: siéntate en el váter y cuando estés orinando corta de repente el pis y mantenlo así unos segundos; luego relaja y deja que siga cayendo la orina. Ahora que has localizado el movimiento hazlo sin tener ganas de orinar, en cualquier circunstancia: puede ser mientras ves una película, o mientras trabajas, estás en clase... Nadie te lo notará en la cara y se hace con toda sencillez.

Puedes hacer contracciones lentas, es decir, contrae y aguanta la contracción de 3 a 10 segundos, y relaja. Puede que cuando hagas esto incluso te dé un escalofrío, es curioso ¿verdad?

Si te decides por las contracciones rápidas, haz muchas y seguidas, de 10 a 20 veces.

Aparte de poder realizarlas en cualquier lugar, puedes hacerlo en cualquier postura en la que estés: sentada, de pie, separando ligeramente las piernas, a gatas, tumbada con las piernas flexionadas...

JUEGOS PREVIOS

Los juegos eróticos no pueden faltar en una relación sexual. Cuando hablamos de juegos previos nos referimos a esos primeros contactos que preparan el terreno antes del coito (recuerda lo que se explicaba en el capítulo III sobre la excitación sexual). A estos juegos también se les llama prolegómenos, juegos preliminares, o de una manera más moderna todavía: *foreplay*. Éstas son algunas de sus principales características:

▲ Son esenciales a la hora de hacer el amor, ya que os ayudarán a poneros a punto para cuando llegue el momento de la penetración. Además, sirven para acercar más a la pareja, para que cada uno conozca mejor los gustos del otro, sus apetencias en materia sexual.

Imagina que acabas de conocer a alguien que te gusta y te lanzas a la aventura de hacer el amor con él/ella. ¿No crees que los juegos te pueden dar mucha ventaja? Simplemente prueba cosas y estate atento/a a sus reacciones. Hazle lo que a ti te gusta que te hagan, prueba todo lo que puedas y después pasa al coito.

▲ Aumentan las sensaciones, te ayudan a desconectar y centrarte sólo en tu disfrute, prolongan el placer hasta donde vosotros queráis. En la relación sexual no sólo se goza cuando se obtiene el orgasmo. Eso es sólo la punta del iceberg; en la base hay cientos de posibilidades que pueden hacerte disfrutar tanto como quieras. No lo olvides.

▲ Juegos... a secas: si no practicas el coito, los juegos previos se convierten en juegos, sin más, y tienen exactamente la misma función, pasarlo bien, compartir con tu pareja, llegar al orgasmo...
Haz uso de todo tu cuerpo: los dedos, los pies, la boca, las orejas, los pechos... ¡todo es válido! Así que chupa, sopla, acaricia, presiona y pellizca suavemente hasta el último rincón del cuerpo de tu pareja. No te cortes.

ALGUNAS POSIBILIDADES

▲ Jugar con diferentes alimentos puede resultar realmente estimulante. Algunas personas prefieren enmascarar el olor natural de los genitales poniendo algo de comida en ellos, como puede ser yogur, natillas, chocolate fundido (no muy caliente, por supuesto)... e incluso, si no te desagrada el olor y sabor de sus genitales puedes usar estos aderezos de vez en cuando para dar un toque diferente en la relación sexual.
Vuelca algo de helado, crema, o nata sobre sus pechos o sobre cualquier parte del cuerpo y chúpalo. También puedes trocear fruta, por ejemplo.
Da de comer a tu pareja con tu propia boca, ofrécesolo, fundiéndote luego en un beso.
Dale a probar alimentos de distinto sabor sin que vea qué le ofreces, para que tenga que averiguarlo.

▲ Tápale los ojos: al hacer el amor utilizamos los cinco sentidos, tocamos, olemos, vemos, escuchamos y saboreamos. Imagina si eliminamos uno de ellos por un rato... la vista. Si le tapas los ojos, besas su cuerpo, hacéis el amor... podrá sentirlo de manera especial, ya que estará pendiente de las caricias que reci-

129

be, sin saber donde irán a parar... Y no sólo será una experiencia sensual para tu pareja sino también para ti. Otro día probad a cambiar los papeles y que te tape los ojos a ti.

Otro juego que puedes hacer con los ojos tapados: pídele que busque algo en tu cuerpo sin usar las manos, sólo con la boca. Puedes darle pistas según se vaya acercando a la sorpresa.

[
Cuando haces un juego como éste, tienes que estar constantemente pendiente de tu pareja. Piensa que al no ver se puede sentir indefenso/a, así que no dejes de tocarle.
]

▲ Los cabellos: no olvides lo agradable que puede resultar el suave cosquilleo del pelo sobre la piel. Cuando el pelo es largo, en vez de recogerlo al hacer el amor, puedes dejarlo caer sobre tu pareja y rozar su cuerpo desnudo con él, incluido el pene.

Además, no olvides acariciar y revolver su melena, tirar suavemente del pelo mientras hacéis el amor, retirar el pelo del cuello y besarlo...

▲ Las cremas y esencias te pueden ayudar a deslizar las manos, a «saborear» olores, a completar el encuentro, pero ¡ojo!: procura que los olores no saturen. Cuando vayas a comprar perfumes a la tienda y los huelas, asegúrate de que no tengan un olor penetrante porque luego, al extenderlo por el cuerpo, el olor se expande, y puede llegar a resultar desagradable. Elige olores suaves.

[
Como es lógico, las cremas y aceites pueden manchar, así que ten a mano una toalla o algo parecido para o ponerte sobre ella o limpiar alguna parte del cuerpo.
]

▲ Atados: éste es un juego que requiere mucha delicadeza. Coge un pañuelo y ata las muñecas de tu pareja bien al cabecero, o entrelazadas entre sí. Una vez atado, juega, bésale, hazle desear tus caricias, roza su cuerpo con tus pechos, o con el pene...
Al hacer los nudos, cuida que las muñecas puedan moverse libremente, incluso que se puedan salir del nudo si tu pareja lo desea. Si las atas con fuerza puede sentirse muy agobiado/a.

Si en algún momento notas que no está a gusto, pregúntaselo inmediatamente y, si es necesario, suelta los pañuelos. Igualmente, si te ha querido dar una sorpresa preparando este juego y a ti no te agrada, díselo con cariño para no desilusionarle, pero sin miedo. No es necesario que lo hagas si no te gusta. Recuerda que estáis jugando.

▲ Por teléfono: una conversación erótica también tiene su gracia. Llámale por teléfono y jugad al teléfono erótico. Los efectos serán geniales.

▲ En el baño, tienes dos opciones: abordar a tu amor en la ducha o preparar un baño relajante y ¡excitante a la vez!
En el primer caso, aprovecha mientras está cayéndole el agua bajo la ducha para desnudarte y entrar a su lado. Su cara será de sorpresa, perfecta excusa para coger el gel y comenzar a frotar su cuerpo. Acaricia, toca, besa... y detente de manera especial donde tú ya sabes.

[No olvides que el preservativo también es necesario, hasta debajo del agua, porque existe el mismo riesgo de embarazo que en cualquier otra circunstancia.]

En caso de decidirte por un baño, pon agua caliente y elige algún aceite, esencia o sales de baño para añadirle. Después adorna todo el baño con pequeñas velas y apaga la luz. Llama a tu chico/a y espera dentro de la bañera. Le encantará.

Una vez dentro de la bañera podéis enjabonaros mutuamente, leer algo en voz alta o simplemente relajaros. Puesto que las bañeras convencionales son un tanto incómodas, si decidís realizar el coito, podéis adoptar la posición en la que ella se sienta encima de él, dándole la espalda.

[
Ten mucho cuidado con los resbalones al hacer el amor en la bañera. No os quedéis de pie porque puede ser peligroso.
]

Muchas veces apetece simplemente tener un momento romántico con tu amor, sin necesidad de llegar al coito o de tener un orgasmo... Puedes hacer cosas tan deliciosas como puedas imaginar, sólo tienes que agudizar tu ingenio y sorprender a tu pareja para hacer la relación algo más emocionante.

ESENCIAS...

Unas pocas gotas serán suficientes para aderezar tu relación sexual.

▲ Ajedrea: es uno de los aceites afrodisíacos que combaten la fatiga mental y sexual.

▲ Albahaca: es una hierba estimulante y convertida en aceite su efecto se multiplica.

▲ Azahar: favorece la somnolencia, así que hay que tener cuidado a la hora de elegir esta esencia.

▲ Canela: siempre se ha considerado como afrodisíaco. Y lo cierto es que como más se disfruta es con la boca, por su agradable sabor. Untar su cuerpo con esencia de canela y lamerlo puede ser de lo más excitante.

▲ Geranio: se dice que mejora la fertilidad. Además, el aceite de geranio es reafirmante, así que ya sabes...

▲ Limón: se usa para aliviar dolores de cabeza.

▲ Melisa: es un aceite estupendo para dar masajes eróticos y, además, parece ser que mejora las irregularidades hormonales.

▲ Menta: siempre es agradable un masaje con olor a menta. Estimula y refresca.

▲ Romero: es una solución perfecta para aliviar el cansancio, además de tener un olor muy agradable. Unas friegas con esencia de romero y dejas a tu pareja como nueva.

▲ Salvia: es una esencia beneficiosa para las mujeres en la etapa de la menopausia.

▲ Sándalo: tiene un aroma muy agradable.

▲ Ylang-ylang: dicen que es un excelente afrodisíaco, así que no pierdas el tiempo y elígelo la próxima vez que compres tus aceites.

X

El coito: ¡no es para tanto!

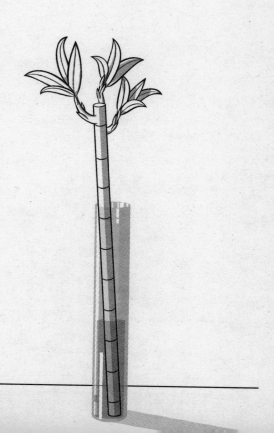

Se suele pensar que, cuando por fin practicamos el coito con nuestra pareja, se ha llegado a lo máximo, a lo más placentero y completo. Parece que, después de haber llegado a este punto, el resto de prácticas «son menores» y no tienen tanta relevancia; de hecho, siempre se comienza con unos juegos previos, un rato de sexo oral o algo de *petting* hasta llegar al esperado momento del coito. Incluso prácticas como la masturbación mutua quedan para momentos en los que no hay mucho tiempo para dedicar a la penetración y «apetece» un poco menos llegar hasta el final…

¿Y quién dice que el coito es lo mejor de la relación sexual? ¡Porque esto no es cierto en absoluto! Si se hiciera una encuesta, muchas personas, entre ellas muchas mujeres, dirían que lo pasan mejor en otro momento de la relación sexual, que prefieren una penetración «rápida» y centrarse en otras prácticas. Y esta opinión tiene mucha lógica, ya que la relación sexual no tiene (o no debería tener) como objetivo último llegar a la penetración, ya que no es la auténtica o mejor manera para disfrutar plenamente. De hecho muchas mujeres no llegan al orgasmo con la penetración y sí de otras maneras, por lo tanto parece lógico que valoremos también otras maneras de hacer el amor, ¿no?

Una relación no es peor porque no haya coito, ¡tenlo en cuenta!

EL CLÍTORIS

Este órgano, aparentemente tan insignificante, es el punto más importante de la sexualidad femenina. Todas las mujeres pueden tener orgasmos pero hay que aprender no sólo a tocar la tecla adecuada, sino a saber hacerlo. No basta con frotar el clítoris como si fuera la lámpara de Aladino... todo requiere su técnica. Muy sencilla pero imprescindible para ser buen amante.

El clítoris se encuentra envuelto, medio escondido, en una capuchita. Cuando comienza la excitación sale de su sitio dejando su punta (el glande) al descubierto. En este primer momento es mejor que no lo acaricies directamente porque puede resultar molesto, pese a que la mujer esté excitada. Por este motivo conviene que al comienzo de la relación sexual te dediques a las caricias y besos, dejando para el último lugar al clítoris. Si lo haces así conseguirás excitar al máximo a tu chica, que esperará ansiosa a que lo estimules por fin.

De esta primera fase se pasa a una segunda (fase de meseta), en la que el cuerpo pide más, quiere llegar al orgasmo. Entonces el clítoris se retrae levemente hacia su capuchón y es ése el momento en el que puedes acariciarlo directamente.

[
Hay mujeres que para alcanzar el orgasmo durante el coito necesitan estimulación adicional del clítoris, pero otras pueden alcanzarlo sólo con la penetración. Si éste es el caso de tu chica, no insistas demasiado en las caricias del clítoris durante la penetración.
]

ALGUNAS PREGUNTAS SOBRE LA PENETRACIÓN

▲ ¿Cuándo es el momento? Como sabes, el hombre suele estar listo antes que la mujer, que necesita algo más de estimulación. Si quieres saber si ella está preparada pregúntaselo directamente: «¿Te apetece ya?», «¿Hacemos el amor?». Si usáis habitualmente preservativo puedes preguntar con un poco de sutileza: «¿Cojo el condón?». Si recibes un sí como respuesta, ¡adelante!

Si no te atreves a preguntárselo abiertamente otra opción es asegurarte de que tu chica está suficientemente excitada. Para saberlo, atiende a todas sus señales (recuerda el capítulo sobre excitación sexual) y toca suavemente la abertura vaginal para comprobar si está húmeda. Acaricia con tu pene la zona y observa cómo reacciona. ¿Está receptiva? Entonces es que está preparada.

A veces es ella quien está deseando que comience el coito y él se retrasa. Normalmente esto se debe a que ellos saben que la mujer necesita más estimulación y alargan el momento para no «quedarse cortos». Si ocurre esto, díselo claramente. Con dos o tres veces que lo hagas él comprenderá que no necesitas tanto tiempo y comenzaréis antes el coito.

▲ ¿Cuándo hay que poner el condón? Siempre justo antes de la penetración. El preservativo lleva consigo una especie de líquido lubricante que lo mantiene húmedo y facilita la inserción del pene en la vagina. Si se coloca el condón y se juega con el pene antes de penetrar corréis el riesgo de que el preservativo se reseque y ocurran dos cosas: una que se rompa y otra que la penetración sea algo molesta. Para que nada de esto suceda coloca el condón segundos antes de comenzar la penetración.

Poned el condón entre los dos: que el chico presione el depósito mientras la chica lo desenrolla a lo largo del pene. De esta manera ella seguirá estimulando el pene y mantendrá la excitación de su chico en pleno.

▲ ¿Qué hacemos si se sale el pene de la vagina durante el coito? No hay problema. Lo cogéis con la mano y lo volvéis a guiar hacia la vagina. Si ha bajado un poco la erección tan sólo hay que acariciarlo de nuevo, junto con los testículos y el perineo, y volver a introducirlo. Es posible que el condón se reseque al estar un rato fuera de la vagina, así que, aunque sea una faena, es mejor cambiarlo.

▲ Y después, ¿qué? El escritor francés Henri de Montherlant decía: «Después de hacer el amor el primero que habla dice una tontería».

¡Tampoco es para tanto! Pero sí es cierto que muchas veces no se sabe muy bien qué hacer al terminar la relación sexual. Hay muchas encuestas que indican cuáles son las conductas más habituales inmediatamente después del sexo: dormir —que es la favorita—, ducharse, hablar con la pareja, fumar, hacer el amor de nuevo...

En general, lo mejor es que te guíes por tu instinto y dejes que las cosas surjan con naturalidad. Aquí tienes alguna que otra recomendación, ¡aunque no tienes por qué seguirlas al pie de la letra!

▲ Si algo no te ha gustado durante la relación sexual no se lo reproches a tu pareja nada más terminar. En caso de que te pregunte y haya habido algo que no te haya gustado, díselo cariñosamente para evitar que se sienta ofendido/a.

▲ No te des la vuelta y te eches a dormir sin más. La mayoría de las personas prefieren quedarse abrazadas o hablando un rato después de hacer el amor. Así que antes de dormir dile algo cariñoso.

▲ No te levantes al instante dejando a tu pareja medio plantada. Dale un beso, dile que vuelves enseguida...

▲ No preguntes con insistencia. Deja que tu pareja se relaje y si quieres hablar de algo espera a que él/ella esté dispuesto/a.

▲ Hablad de la relación sexual. Si hay algo que ha gustado especialmente, remárcalo, así tu pareja se sentirá orgullosa y satisfecha.
Si tenéis problemas en vuestra relación sexual, la principal recomendación es dejar de practicar el coito durante el tiempo que sea necesario. Tratad de definir bien el problema, de abordarlo juntos y de fomentar la plena comunicación entre vosotros. Con mucha confianza y paciencia los problemas pueden resolverse fácilmente.

¿Está incompleta una relación si no hay orgasmo en el coito?

En absoluto. Estamos acostumbrados a pensar que el coito es la culminación perfecta de la relación sexual y que la pareja debe tener sus orgasmos mientras dura éste. Si no ocurre así, se interpreta como un problema y se empieza a preocupar uno más de la cuenta. Lo cierto es que, aunque nos parezca mentira, el coito es una manera más de hacer el amor y tampoco es tan vital tener el orgasmo cuando se practica. Si una chica tiene dificultad en alcanzarlo durante el coito, puede hacerlo antes o después, y la relación sexual seguirá siendo exactamente igual de completa. Digamos que el objetivo no es llegar los dos al orgasmo en el coito sino disfrutar, independientemente de la manera en que se consiga. Esta obsesión no puede anular todas las posibilidades que tienes para disfrutar, ¡que son muchas!

Por tanto, olvida que la penetración es lo más importante en la relación sexual. A lo largo del libro vas a ver muchas más opciones, aparte del coito, para disfrutar con tu pareja, para llegar al orgasmo, para lograr plena comunicación y confianza.

[
Recuerda: el coito no es la única y final forma de expresión sexual. Aprende de tu cuerpo y del de tu pareja y descubre que hay muchas más maneras para proporcionar placer sexual.
]

146

XI
Posturas amorosas

Si echas un vistazo a algún libro especializado en el tema, te aburrirás de ver posturas posibles (¡y también imposibles!) para realizar el coito, aunque lo normal es que sólo se usen unas pocas e, incluso, hay parejas que optan por una o dos favoritas a lo sumo.

Ya sabes que el límite a la hora de hacer el amor sólo lo tenéis que poner vosotros y que podéis experimentar cuanto queráis. Hay posturas que requieren tanto esfuerzo que aunque no sean placenteras en sí, sólo conseguirlas es ya estimulante... El caso es que puede resultar un juego divertido y diferente probar a hacer de contorsionistas, aunque luego volváis a vuestras posiciones favoritas, que, evidentemente, son las que os producen más placer.

> En todas las posiciones, cuanto más se acerquen las piernas al pecho más profunda será la penetración vaginal.

HOMBRE ENCIMA

Ésta es la famosa postura del «misionero»: la mujer está tendida de espaldas y el hombre sobre ella, cara a cara. Ella puede tener las piernas ligeramente abiertas, como si fuera una rana, estiradas o flexionadas las rodillas; también puede levantarlas hacia el pecho o colocarlas sobre los hombros del chico. Tened en cuenta que cuando la penetración es muy profunda, los empujes del pene dentro de la vagina tienen que ser suaves

porque si se hacen bruscos el pene puede golpear el útero, provocando muchas molestias a la mujer. Si al hacer el amor sientes unos pinchazos fuertes en la zona del abdomen, o algo parecido al dolor de ovarios de los días de la regla, eso significa que la penetración está siendo muy profunda, así que tratad de evitar que el pene se introduzca hasta el final de la vagina.

▲ En esta posición, el hombre ha de controlar su peso, que recae sobre el cuerpo de la mujer. Para no «aplastarla», es preferible que se apoye sobre sus propios brazos y rodillas.

▲ Esta postura permite que el pene se introduzca en la vagina con cierta facilidad, y además tanto él como ella pueden guiarlo.

▲ El hombre lleva el control del ritmo durante el coito porque le resulta más fácil moverse.

▲ De esta manera puedes ver a tu pareja cara a cara, besarle, acariciar su rostro... Además, esta postura facilita la comunicación verbal.

▲ Al estar los dos cuerpos tan pegados el uno al otro, no se puede acceder al clítoris manualmente, por lo que si ella necesita estimulación de este órgano para alcanzar el orgasmo, tendréis que cambiar de posición al cabo de un rato para poder estimularlo.

Si el hombre es eyaculador precoz o suele tardar poco en llegar al orgasmo, es preferible que adoptéis otra postura porque esta favorece que él eyacule antes. Esto ocurre porque al llevar él el control de los movimientos pélvicos, contrae y afloja las nalgas con mucha facilidad y esto le lleva al orgasmo rápido.

MUJER ENCIMA, CARA A CARA

En esta posición es la mujer la que lleva las riendas. Para muchas mujeres es la más placentera porque les permite realizar los movimientos «a su manera», llevar a cabo los movimientos pélvicos precisos que les lleven al orgasmo.

El hombre controla mejor su eyaculación, debido a que apenas tiene que mover las nalgas. Es, por tanto, una postura recomendada para los chicos «rápidos».

La postura permite algunas variaciones:

▲ El hombre se tumba boca arriba y la mujer se pone sobre él. También puede tumbarse o sentarse a horcajadas. Cuando está tumbada sobre él, las piernas pueden estar completamente estiradas, de manera que el pene quede algo más oprimido, o pueden estar abiertas. Eso

depende de lo que os guste. En estos casos hay un contacto completo de los cuerpos.

> Cuando la chica está sentada a horcajadas, ha de tener en cuenta que cuanto más erguida está, la penetración es más profunda, por lo que deberá controlar bien los movimientos para que no le moleste dicha penetración.

▲ Cuando la mujer esta sentada sobre el hombre, los cuerpos, de cintura para arriba, quedan libres y se pueden estimular con las manos. Puedes acariciar sus pechos, las caderas, la cara...

▲ Esta posición permite que tanto él como ella puedan estimular el clítoris manualmente.

Aunque la persona que está debajo siempre tiende a moverse menos, esto no significa que te conviertas en un palo tieso. Tanto él como ella, en caso de estar debajo de la pareja, debe mover la pelvis, abrazarle, responder a los empujes de la penetración, etcétera.

AMBOS DE PERFIL CARA A CARA

Apoyados sobre un costado, con las piernas entrelazadas. Esta postura tiene la ventaja de que ninguno ha de soportar el peso del otro y, por tanto, es muy relajada.

▲ Puede ser difícil introducir el pene si ambos estáis tumbados de perfil, así que podéis empezar a hacer el amor en otra posición y una vez que estéis cómodos, giráis, sin que salga el pene de la vagina, claro, para colocaros de esta manera.

▲ Según como coloques las piernas la penetración será más o menos profunda. Si ella tiene

la rodilla muy flexionada, por encima de la cadera de él, el pene estará más profundo que si lleva la rodilla a la altura de la de su pareja.

▲ Esta posición permite también la comunicación verbal, que os podáis abrazar y besar en la boca, además también ayuda a que el chico controle algo más su eyaculación.

PENETRACIÓN POR DETRÁS

El hombre se tiene que colocar detrás de ella e introduce el pene en la vagina. Esta postura gusta mucho a los chicos porque les recuerda esa fantasía sexual de la que se habla en el capítulo XII («Más prácticas»).

▲ La mujer se puede apoyar sobre sus manos y rodillas, eso que llamamos «a cuatro patas», aunque también puede tumbarse boca abajo, elevando ligeramente las caderas para facilitar la penetración. Para no estar en tensión, conviene poner un almohadón debajo de la cadera para subirla y a la vez estar descansada.

▲ Para algunas personas esta postura no es agradable porque no pueden ver la cara de su pareja y opinan que es una manera un poco fría de hacer el amor. Si a uno de los dos os exci-

ta mucho y al otro no demasiado, lo que podéis hacer es adoptarla durante un rato y después cambiar a otra que os guste más.

▲ Permite acariciar los pechos y el clítoris de ella. Además, si visualizas ahora mismo la postura en tu cabeza, te darás cuenta de que el pene, según se introduce en la vagina, estimula directamente la zona del punto G femenino. Quizá logréis encontrarlo en esta posición (¡si es que ella lo tiene, claro!).

SENTADOS

Esta postura tiene muchas variaciones, pero las más habituales son aquellas en las que el chico está sentado y la mujer se coloca sobre él.

Podéis sentaros en una silla, en la cama o en un sofá. El resto es muy parecido a la postura en la que ella está encima, descrita más arriba.

Por supuesto, existen muchas más posturas para hacer el amor, aunque estas propuestas son la base para el resto de posiciones que queráis experimentar. Depende de vuestra creatividad el que probéis unas u otras o experimentéis como os plazca. Existe una película que se titula *Kama-*

sutra (la verdad en torno al amor)[1], que si tienes oportunidad de comprarla te la recomiendo porque en ella encontrarás cantidad de posiciones diferentes para hacer el amor. Pero no esperes ver una peli porno, que no lo es.

[1] El director es Nick Jones y es de 1992.

XII
Más prácticas

ACERCA DEL SEXO ORAL

Esta costumbre tiene muchos «enemigos», e incluso en algunos países aún se considera delito practicarla, ya que se piensa que se trata de una práctica aberrante. Por suerte nuestra sociedad rechaza este absurdo planteamiento, aunque todavía hay muchas personas que la encuentran desagradable o indigna.

Conviene dejar claro que el sexo oral es una práctica como otra cualquiera, que puede aportar mucho placer y que la mayoría de las personas que la realizan se la recomendarían a cualquiera. Incluso hay quienes la prefieren a cualquier otra. Es lógico si lo piensas: la suavidad y humedad del interior de la boca facilitan enormemente la estimulación directa de zonas muy delicadas que de otra manera podría resultar molesta.

Sabor-olor...

La relación entre el sexo oral y el sentido del gusto, el sabor, es indudable. Gracias a nuestra capacidad gustativa, reconocemos perfectamente los sabores y ése es, precisamente, uno de los problemas que plantea el sexo oral para determinadas personas: su sabor, su olor. Concretamente, algunas mujeres sienten cierto rechazo al sabor del semen, cosa que no suele ocurrir con tanta frecuencia a los hombres, en relación con el flujo vaginal. Además de los fluidos, el «olor sexual» emanado por la zona genital también es rechazado en ocasiones. A favor de los olores hay que decir que el olfato tiene una vital importancia en los estímulos sexuales. El cuerpo despide un olor natural que lo hace atractivo a los demás y que en ocasiones provoca la respuesta sexual. Por eso no es de extrañar que haya personas, en su mayoría hombres, a las que el olor genital les atraiga hasta el punto de excitarse enormemente y a las que les encante practicar sexo oral a su pareja. Esta respuesta a los olores es uno de los aspectos más instintivos de la sexualidad.

Para que no te pierdas...

▲ Ya hemos dicho que los genitales tienen un olor peculiar que no tiene por qué desagradar. Ahora bien, piensa que la otra persona va a tener la cara en tus genitales, por lo que tienes que ser cuidadoso/a con tu higiene. Una ducha al día es suficiente. Si has tenido un día muy ajetreado y quieres lavarte antes de practicar el sexo oral, puedes hacerlo. Otra posibilidad es llevar toallitas húmedas y refrescar un poco la zona genital antes del momento clave.

▲ Si el olor natural de los genitales no te gusta, prueba a enmascararlo con algo como yogur, nata, crema, helado, etcétera. Eso también puede formar parte de un juego erótico divertido (recuerda el capítulo «¡Juegos y más juegos!»). Pero, ojo, ten cuidado con estos productos: impregna la zona del clítoris y no los introduzcas en la vagina porque pueden alterar el pH vaginal, dejando esta zona expuesta a sufrir infecciones.

▲ Procura que los dientes no rocen bruscamente los genitales de tu pareja, ya que puede ser muy molesto.

▲ Observa las reacciones de tu chico/a. Ver su cara es la mejor manera de comprobar si le está gustando o no.

Sexo oral practicado a una mujer: Cunnilingus

Para la mujer es una práctica muy placentera y, asimismo, es una perfecta preparación para el coito.

Toda la vagina es una zona muy sensible, aunque es el clítoris, gracias a la enorme cantidad de terminaciones nerviosas que tiene, el órgano que más respuesta sexual despierta en la mujer, y por tanto, será la estimulación en esta zona lo que preferiblemente lleve al orgasmo. Esto no quiere decir que sólo te tengas que dedicar a estimular el clítoris, ni mucho menos.

El cunnilingus se practica desde el monte de Venus (la zona cubierta de vello) hasta el perineo y el ano. Comienza besando la zona del bajo vientre, el pubis y las ingles, hasta llegar a la vulva. En este primer momento, olvídate del clítoris y estimula los labios, la entrada de la vagina, y el perineo, la zona anal...

Succiona los labios menores y, si quieres, mete suavemente la lengua en su vagina y muévela un poco, pero no te entretengas demasiado en esto, vuelve de vez en cuando a la zona del clítoris. Puedes dar pequeños besos o leves lengüetadas. Es fácil que los movimientos circulares de la lengua sobre el clítoris lleven a la mujer al orgasmo. Por otra parte, si la mujer ha tenido un orgasmo recientemente, el clítoris estará mucho más sensible, por lo que no se debe dirigir la lengua directamente a este órgano hasta pasado un rato.

> No succiones el clítoris con demasiado ímpetu. Piensa que en esos momentos de excitación está extremadamente sensible y cualquier caricia brusca puede ser muy molesta. Nunca, repito, NUNCA soples el interior del útero porque podrías dañarlo seriamente.

Combina las caricias, es decir, no hagas durante todo el rato lo mismo: succiona unos segundos, acaricia con la punta de la lengua otro rato, besa... Incluso, siempre que a ella le guste, puedes estimular con la boca el clítoris al mismo tiempo que introduces los dedos en la vagina. Trata de coordinar bien tus movimientos para no ser demasiado brusco/a con los dedos.

> Generalmente la mujer prefiere las caricias al final (cuello del útero) de la vagina, al movimiento de los dedos como si fuera un pene (es decir, que los metas y saques frotando la vagina).

Sexo oral practicado a un hombre: Felación

Más corrientemente, se suele llamar «mamada». La felación es una de las prácticas con las que más placer obtienen los hombres debido a esa suavidad de la que antes hablaba.

Para realizar la felación puedes tan sólo recorrer la piel del glande con la lengua o, por otra parte, introducir todo el órgano en la boca y succionar, besar, lamer... Si abres y cierras la boca la sensación para él puede ser parecida a la que producen las contracciones de la vagina durante el coito.

[
Para evitar las arcadas, coge el pene con la mano y dirígelo hacia el interior de las mejillas.
]

Si en algún momento pasas los dientes por el pene, asegúrate de que sea por la zona de la base y sobre el prepucio, nunca sobre el glande al descubierto. Puede resultarle muy molesto.

[
Nunca soples en el interior del pene, ya que puedes producir una infección en la uretra.
]

Aparte del pene en sí, también has de estimular el escroto, con suaves mordiscos o caricias con la lengua, así como el perineo y el ano. La zona más sensible suele ser la unión entre el frenillo y el glande y, por tanto, la que más sensaciones aporta. Estimúlalos directamente con la lengua. Normalmente estas zonas son tan sensibles que algunos chicos no soportan las caricias manuales; sin embargo, dada la suavidad y humedad de la boca, este tipo de estimulación bucal puede ser muy efectivo y encantarle.

Una idea: coge un buche de agua (sin tragártela) y a continuación introduce su pene en la boca. Es decir hazle la felación con agua en la boca. Prueba unos minutos a hacerlo de esta manera. Lógicamente, algo de agua se derramará, pero no tanta como crees. Si quieres darle una sorpresa a tu chico hazlo, por ejemplo, un día que estéis en la bañera. Procura que el agua esté templada, le agradará mucho más.

Diferentes posiciones para practicar
el sexo oral

▲ Sesenta y nueve: os tenéis que poner en posición paralela invertida, es decir, la cabeza del
chico se coloca entre los muslos de su pareja,
mientras que ella se coloca frente al pene. La
boca y lengua de ambos han de estimular los
genitales al mismo tiempo. También se puede realizar estimulación anal.

▲ Quien recibe el sexo oral está de pie y la pareja arrodillada. En el caso del chico, la per-

sona que realiza la felación al mismo tiempo que succiona el glande, puede acariciar los testículos. La persona que está de pie puede sostener la cara de su pareja, atrayéndola y retirándola con suavidad.

ACERCA DEL SEXO ANAL

Parece que este tipo de práctica se ha puesto muy de moda en los últimos tiempos, aunque no es en absoluto novedosa. El sexo anal es tan antiguo como la sexualidad misma aunque no es una práctica de la que se haya hablado mucho.

De hecho, es una de las fantasías eróticas más recurrentes de los hombres. Sin embargo, resulta curioso comprobar cómo muchos hombres heterosexuales consideran que pueden practicar el sexo anal a sus parejas, pero que a ellos, sin embargo, no se les puede estimular el ano bajo ninguna circunstancia. Y esto ocurre por la creencia absurda de que el sexo anal en los hombres es una práctica homosexual. Por supuesto que no. Un hombre completamente heterosexual puede disfrutar con el sexo anal y eso jamás querrá decir que tenga inclinaciones homosexuales ocultas ni nada parecido.

¿Por qué la estimulación anal puede resultar placentera?

Pues muy sencillo: para la persona que recibe la estimulación, porque el ano es una zona erógena, como otras muchas de nuestro cuerpo. Tiene cantidad de terminaciones nerviosas y estimularlo puede aportar sensaciones placenteras. Igualmente, es placentera para el hombre que penetra, porque la presión que el ano ejerce sobre el pene hace que la tensión acumulada sea mayor y, por tanto, la explosión del orgasmo más intensa.

Cuando hablamos de sexo anal no nos referimos únicamente al coito, es decir, a la penetración. Existen las caricias manuales y el sexo oral, lo que ahora la gente llama «beso negro», que es precisamente eso, estimular el ano con la boca, besando, chupando, introduciendo suavemente la lengua, etcétera.

Puede que este tipo de estimulación no te lleve directamente al orgasmo, pero sí te puede resultar placentera como complemento de toda la relación sexual.

> Hay personas que llegan fácilmente al
> orgasmo mediante el coito anal y que in-
> cluso lo prefieren al vaginal.

Si vas a practicar la penetración tienes que tener en cuenta algo fundamental y es que el ano
tiene un poderoso músculo que nos permite controlar los esfínteres, por lo tanto se contrae de
manera automática con una facilidad pasmosa.
Cuando tú quieres introducir algo en este orificio vas a encontrarte con cierto rechazo, por lo
que tendrás que ir muy despacio.

En primer lugar, es una zona que no tiene lubricación por lo que tú tendrás que aportarla. La
saliva no es suficiente así que compra una crema
lubricante y si puede ser además de lubricante,
dilatadora, mucho mejor. En las tiendas especializadas las tienen.

Antes de introducir el pene, mete primero un
dedo y luego dos, con mucha suavidad. Puede que
no lo consigas el primer día, así que ármate de paciencia.

*La penetración anal: consejos para la persona
que recibe las caricias*

▲ Relájate: si no lo haces, la penetración puede
ser dolorosa. Adopta una postura que te per-
mita estar lo más cómoda/o posible. Aparte
de la ya conocida posición «a cuatro patas»,
puedes probar a hacer como si te sentaras sobre tu chico, estando él tumbado boca arriba.

▲ Si te duele, prueba en otro momento. No te
fuerces a lograrlo. Si después de varios inten-
tos en diferentes ocasiones no puedes, aban-
dona. No pasa nada. Quizá al cabo de un tiempo lo vuelvas a intentar y todo salga bien, pero
no te obsesiones.

▲ No lo hagas solamente por dar gusto a tu pareja. Piensa si tú quieres probarlo, y si es así,
adelante. No hay nada como tener una acti-
tud negativa para que las cosas salgan mal.

▲ Si en alguna penetración de repente notas dolor, déjalo. Si ves que sangras mucho o te duele, o notas muchas molestias al ir al váter, acude al médico. Puede que te dé un poco de corte
enfrentarte al médico pero hay momentos en
los que no hay más remedio y éste es uno de

ellos. Piensa que puedes tener un desgarro importante.

Si después de una penetración anal vas a practicar una penetración vaginal, tienes que tener la precaución de limpiar el pene, o si has usado condón, de coger uno nuevo. El ano tiene gran cantidad de microorganismos que puedes pasar a la vagina y, por tanto, provocar una infección. Por eso el pene ha de estar limpio para introducirse en ella. A la inversa (es decir, primero penetración vaginal y luego anal) no es necesario.

Cualquier olor, sabor, pensamiento, sensación, cualquier sonido suave y sugerente... pueden desencadenar las fantasías eróticas más insospechadas. Todas las personas tienen fantasías sexuales, incluso hasta los que no quieren tenerlas. Echar a volar la imaginación y sumirte en tus pensamientos «más ocultos» es, simplemente, estupendo. No hay nada de malo en ello. Hacer uso de esas fantasías en el ámbito de tu sexualidad es completamente sano. Se puede decir que incluso confieren variedad a la relación sexual de pareja y, por tanto, la enriquecen.

Las fantasías sexuales no son deseos insatisfechos, ni frustraciones que tengas en tu cabeza, ni desviaciones de ningún tipo. No son cosas que quieres llevar a la práctica pero que no te atreves. Claro que no. Quizá alguna vez te has sorprendido a ti mismo/a fantaseando acerca de algo que no te gustaría nada que te ocurriese en la vida real. Por ejemplo, muchas mujeres tienen la fantasía de que un hombre fuerte las obliga a hacer sexo, no las deja apenas moverse, les hace el amor con cierta violencia... Este tipo de fantasía no significa necesariamente que la mujer quiera vivir en la realidad una situación así, ni mucho menos. Es simplemente un deseo irreal que acude a su mente para excitarse, sin más implicaciones.

A una pareja que comparte algunas de sus fantasías les une una especie de lazo, de complicidad, que puede convertir una relación completamente normal en una auténtica comunicación estimulante y repleta de matices.

COMPARTIR CON LA PAREJA LAS FANTASÍAS, ¿SÍ O NO?

▲ Eso depende solamente de ti. Vamos a ver: el mero hecho de tener pareja no significa que tengas que compartir absolutamente todo, aunque no te agrade. Si tienes fantasías sexuales que son muy íntimas y que quieres dejarlas para ti, hazlo sin ningún cargo de conciencia. No es obligatorio compartirlas, pero si crees que algunas de esas fantasías pueden aportar algo positivo a vuestra relación, ¿por qué no se lo cuentas?

▲ Es una manera genial de conocerse mejor, pero, repito, sólo debes compartirlas si van a enriqueceros. Piensa que lo que a ti te parece normal puede que a tu pareja no le guste y viceversa.

▲ El hecho de compartir alguna fantasía con tu pareja no significa que él o ella vaya a hacerla realidad, o que simplemente le guste. Como esto de las fantasías es algo muy personal, has de procurar tener cuidado a la hora de comentarlas con tu amor, no vaya a ser que se asuste y se quede extrañado/a.

▲ Por supuesto, nunca sabrás su reacción hasta que no la veas pero no dejes que el miedo al rechazo te venza. Tú, que conoces bien a tu pareja, sabrás cómo piensa acerca de esto, ¿no? Veamos una serie de cosas a tener en cuenta.

EL MEJOR MOMENTO...

▲ Mét, en el contexto, tantea el terreno: saca el tema cuando estás en una reunión de amigos, o saca a colación alguna película que hayas visto, por ejemplo, en la que se hable mucho sobre este asunto (*Eyes wide shut* puede servir). Si en alguno de estos casos su reacción es de rechazo, pregúntale por qué reacciona así: «¿Te parece mal que una persona tenga fantasías? ¿Por qué?», le puedes preguntar. En función de su respuesta podrás hacerte una idea de lo que piensa. Si ves que se cierra en banda y no quiere ni oír hablar de ello, está claro que no es momento de contarle las tuyas. Quizá más adelante puedas volver a intentarlo.

▲ Si decides lanzarte, espera el momento adecuado: puedes provocar una conversación simpática en la que os hagáis todo tipo de confesiones (incluyendo éstas, claro) y en la que os comprometáis a ser sinceros. ¿Recuerdas aquel juego de la botella, o el de la cerilla? Pues algo parecido.

▲ También puedes aprovechar el momento en el que ambos estéis muy excitados a la hora de hacer el amor: cuéntale un cuento erótico muy sutil y atiende a sus reacciones. Trata de no hacerle preguntas directas, sino insinúa tu fantasía, tu sueño en ese momento y después dile que ahora le toca a él/ella contar el suyo. Susúrrale al oído algo que te apetezca mucho, algo que te estés imaginando en ese momento. Una vez que hayas dado el primer paso, los siguientes serán mucho más sencillos.

[
Jamás intentes imponer tus deseos, nunca le hagas el típico chantaje «si me quisieras lo harías» y no presiones más de la cuenta. Si ves que no quiere complacer alguno de tus deseos, déjalo correr. Al menos por una temporada.
]

HACERLAS REALIDAD

▲ Una cosa es que habléis abiertamente de vuestras fantasías y otra muy distinta que las escenifiquéis en la relación sexual. Quizá sepas que a tu pareja le excita pensar que alguien os está mirando mientras hacéis el amor, o que su fantasía más erótica es hacer el amor con dos mujeres a la vez (por cierto, una de las fantasías más habituales de los hombres), pero saberlo y aceptarlo con naturalidad no quiere decir que le tengas que complacer haciéndolo realidad.

▲ Dentro de todas las fantasías que pueda tener una persona, existen algunas que son fácilmente «realizables» y que te gustaría llevar a cabo, y otras que se quedarán sólo en lo puramente imaginario.

▲ Tener fantasías no es sinónimo de realizarlas. De hecho hay fantasías que en la realidad pierden parte de su encanto y magia, ya que es difícil recrearlas tal y como las habías construido.
Por una parte, tu supuesto objeto de deseo puede ver las cosas de diferente manera, o no ser tan fuerte como crees o no tener la iniciativa que deseas, o ser mucho menos deseable de lo que tú lo habías imaginado.

Aunque muy pocos se atrevan a reconocerlo, todo el mundo sueña con el sexo; las fantasías sirven para mantener activa nuestra vida sexual, disfrutarla mucho más intensamente y alargarla. Por raras que nos puedan resultar, está demostrado que echarle imaginación al sexo sólo es síntoma de enfermedad cuando reemplaza a la realidad.

▲ Por otra parte, puede que tu pareja no desee complacerte. Es posible que tú quieras que se vista de cuero, o que te llame por un nombre determinado, que haga una posición que te excita mucho, etcétera, y que su respuesta sea negativa. Piensa que al compartir este tipo de deseos has de contar con los suyos propios, que pueden ser muy diferentes de los tuyos. Quizá lo que a ti te parece excitante y morboso a tu pareja le horrorice y le deje la libido completamente por los suelos. Si esto ocurre, habladlo abiertamente y acepta su negativa.

▲ Si tu chico/a tiene ilusión por algo y a ti no te importa concederle el deseo, haz el esfuerzo y regálale ese momento de placer que tanto le gusta. Quizá te sorprendas tú mismo/a disfrutándolo también. Hacer una concesión es una manera de mimar los deseos de tu chico/a.

[
Las fantasías solamente se deben compartir cuando crees que van a enriquecer tu relación sexual.
]

▲ Cuidado con que los protagonistas de tus fantasías sean personas cercanas, porque puede molestarle a tu pareja. Muchas personas incluyen en sus fantasías gente muy deseable como actores, modelos, personalidades conocidas... y parece que a la pareja no le importa demasiado. Ahora bien, si tienes fantasías con alguien cercano, ten precaución a la hora de confesárselo. ¡No es lo mismo decir que te encanta Brad Pitt que comentar tus salvajes fantasías con su mejor amigo!

TRÍOS

Precisamente este tipo de fantasía es una de las más habituales, sobre todo en el caso de los hombres. *Menagê-à-trois* lo llaman los franceses, y se trata de incluir una persona más en una relación sexual de dos, que puede ser una mujer o un hombre. Parece que esta práctica se ha puesto de moda entre algunas parejas, pero puede traer algunos problemas inesperados que hay que intentar solventar antes de que se presenten:

▲ Es indispensable tenerlo muy claro: ambos debéis estar plenamente seguros de que queréis incluir esporádicamente a un tercero, porque las dudas pueden llevarte a pasar un mal rato.

▲ No lo hagas exclusivamente por tu pareja. Tú también tienes que estar seguro/a. Tu chico/a puede obtener placer sin necesidad de esto. Si te dice que precisa probarlo y que es fundamental para que continúe vuestra relación de mejor manera, duda de ello. Si lo realizáis es porque os va a enriquecer a ambos, no se trata de hacerle un favor ni de solventar con ello problemas que pueda haber en vuestra relación.

▲ Puede resultar mejor con personas desconocidas. Si escogéis a alguien cercano es más fácil que surjan problemas. Quizá no a la hora de la intimidad entre los tres, pero puede que sí en otros contextos. No olvides que con esa otra persona no tienes una relación tan profunda como con tu pareja.

▲ Cuida tu relación de pareja. Sin duda, los lazos que te unen con tu chico/a tienen que ser muy fuertes para tomar una decisión en la que debéis ser capaces de poner los límites. Es fundamental no crear un vínculo afectivo con la tercera persona. Tened claro por qué lo hacéis. Si es para aportar novedad y disfrute a vuestra sexualidad como pareja, bien; si es para conocer nuevas personas, lo conseguiréis pero vuestra relación afectiva se irá al traste tarde o temprano.

Una fantasía convertida en pesadilla

A veces los mejores sueños sería mejor dejarlos tan sólo en eso, sueños. La decisión de hacer el amor con dos personas a la vez puede volverse en tu contra. Pese a que hayáis pactado no implicaros emocionalmente, algunas veces la razón traiciona, aun no queriendo. Puede ocurrir que tu pareja o tú mismo/a acabes deseando más a la tercera persona, o que descubras nuevas sensaciones con ese alguien que antes no conocías... Si tienes la suficiente madurez para abordar nuevas formas de hacer el amor como el *menâge-à-trois* entonces has de asumir también la posibilidad de que eso se vuelva en tu contra. Piénsalo bien antes de embarcarte.

La fantasía más común entre las mujeres es hacer un strip-tease delante de su pareja e imaginar que se es completamente irresistible, mientras que los hombres fantasean con practicar sexo oral y anal. El 60% de las mujeres casadas admite fantasear sobre mantener relaciones sexuales con otros hombres mientras que practicar sexo en grupo es la fantasía más admitida por el género masculino, eso sí, siempre que sean dos las mujeres que acompañen al hombre.

XIV
Sexo e Internet

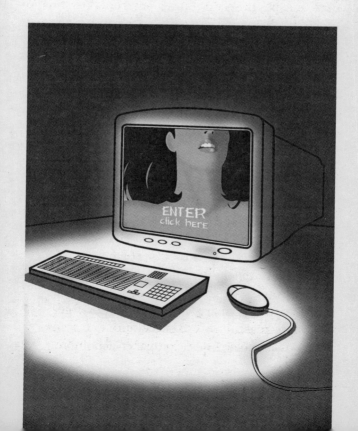

Internet se ha convertido en una herramienta imprescindible para muchas, muchísimas personas. ¿Quién no ha oído hablar del cibersexo? ¿Quién no se ha «bajado» de Internet fotos pornográficas para su colección particular? Las páginas de pornografía de la web son las más visitadas de Internet y los chats eróticos son, también, de los más transitados. Muchas personas se preguntan qué es lo que se hace realmente en un chat «de esos», cómo es posible que una persona se pueda excitar y ¡hasta tener sexo! con alguien que no está a su lado, tocándole, besándole, acariciándole...

En realidad, como sabemos, para practicar el sexo no es estrictamente necesario hacerlo junto a otra persona. Existe la masturbación, que nos permite darnos placer sin necesidad de nadie más, sólo pensando en nuestras cosas, acariciando nuestro cuerpo nosotros mismos, imaginando nuestro íntimo y particular mundo.

El cibersexo sería algo parecido aunque con algún que otro aliciente. Se trata, al fin y al cabo, de masturbarse pero «en compañía» de alguien que se encuentra en tu ordenador. Existen chats especializados, en los que entras precisamente para tener una relación sexual, o excitarte; tecleas unas cuantas frases «subiditas» de tono, mantienes una conversación con alguien que también hace lo posible para excitarte y al mismo tiempo te masturbas, o ves fotografías que te gusten o incluso, en algunos casos, puedes ver a la otra persona en directo a través de una webcam (una pequeña cámara de vídeo situada en algún punto estratégico de la habitación para que se os pueda ver a través de la pantalla del ordenador). Es un sistema mucho más sencillo de lo que parece, un momento erótico fácil de conseguir.

Según un estudio los españoles, sobre todo si son hombres y menores de 35 años, son los europeos que más visitan los sitios de sexo en Internet. Los que más se conectan con estos sitios en España son los hombres de entre 15 y 24 años (37,3 por ciento), seguidos de los varones de entre 25 y 34 años (27,9 por ciento). Las mujeres representan el 17,8 por ciento del total de los usuarios españoles que entran en las páginas de sexo y son las europeas que, con una media de 46 minutos, más tiempo permanecen conectadas.

La media de un aficionado al cibersexo que navega en Internet es de tres horas a la semana aunque los hombres pasan el doble de tiempo que las mujeres, según un nuevo estudio. El doctor Al Cooper afirma que hombres y mujeres parecen usar Internet para el sexo de forma diferente: mientras los hombres pueden ir buscando estimulación, las mujeres a menudo lo que desean es información. Los investigadores aseguran que un mínimo de un 20 por ciento de los usuarios de Internet visitan páginas web sexualmente explícitas, que han contribuido a hacer de la pornografía uno de los principales conductores del crecimiento de la Red.

VENTAJAS

Juegas con la imaginación. Si no queréis compartir fotos no tenéis por qué hacerlo, solamente darás a tu cibercompañero/a lo que tú quieras. Puedes inventar tu propia descripción, ser completamente anónimo/a, escribirle cosas que no te atreverías jamás a decir en alto...

Y puedes tomarlo como un juego excitante y divertido a la vez... para practicarlo de vez en cuando.

Los denominados chats eróticos no representan ningún peligro para la vida sexual real, sino todo lo contrario, según científicos de la Sociedad Alemana de Sexología. Los especialistas aseguran que a través de la Red muchas personas pueden lograr salir de su soledad. La frivolidad del medio, que permite ocultar la verdadera identidad de los interlocutores, estimula la fantasía y además puede tener efectos liberadores en la vida real.

DESVENTAJAS

Ese aspecto liberador tiene otra cara, no tan positiva. Es cierto que puede ayudar a personas con problemas a relacionarse con gente a través del ordenador. Pero esto no hace sino arraigar su timidez y encerrarlas más en sí mismas. Imagínate una persona muy tímida que tiene pocos amigos, que sale poco, que no se relaciona mucho con los demás o, simplemente, que le cuesta encontrar pareja por su timidez. De repente descubre que puede relacionarse sin moverse de la silla, sin tener que esforzarse en hablar, en mirar a los ojos a alguien, y encima puede conseguir sexo de una manera extremadamente sencilla. Ésta es la gran desventaja, la posibilidad de que esa persona se aísle del mundo de manera enfermiza.

Todas las personas necesitamos el calor de los demás y eso es insustituible. Por tanto los más tímidos deberían hacer el esfuerzo de relacionarse con personas de carne y hueso, de no perder el contacto con la realidad. El cibersexo puede ser un aliciente divertido en un momento dado pero no debería ser la forma habitual de relación sexual ni humana. No lo olvides: hay cosas que ni la más avanzada de las máquinas podría hacer por nosotros.

Bibliografía

Gabriel García Márquez: *Del amor y otros demonios*. Grijalbo-Mondadori. Barcelona, 1996.

Francisco Labrador: *Guía de la sexualidad*. Espasa. Madrid, 1995.

John Williams: *Sexo. Obra erótica de Cranacha Koons*. Taschen-Evergreen, 1999.

Agradecimientos

Estoy contenta por haber decidido, final-
mente, escribir este libro. Y lo cierto es que se lo
debo a la editorial Aguilar, que tanto ha insistido
para que me ponga delante del papel. Aporta muchísima energía tener tantas personas alrededor
que confían en ti. Muchas gracias. En especial
quiero agradecer a Miryam Galaz el cariño y en-
tusiasmo que me transmite. Lo cierto es que me
lo ponéis muy fácil.

Gracias también a Miguel Ángel Sánchez, que
ha pasado horas delante del ordenador recopi-
lando curiosidades y datos de interés para enriquecer el texto.

Y muchas gracias a Helios Vicent, maravilloso dibujante, que aún está por descubrir, pero que
ha logrado con sus ilustraciones dar encantado-
res toques de luz a todo el libro.

En fin, que he tenido mucha suerte, y me sien-
to feliz por ello. Gracias.

Biografía

Estudió psicología en la Universidad Autónoma de Madrid y lleva trabajando en el campo de la sexología desde que acabó sus estudios universitarios. Es educadora sexual. Empezó trabajando como voluntaria en un centro de asesoramiento a jóvenes y después pasó a compaginar este trabajo con la elaboración de artículos sobre sexualidad para algunas publicaciones. En octubre de 1998 comenzó a emitirse el programa "En tu casa o en la mía" en la cadena 40 Principales. Este programa recibió un premio Ondas en el año 2000 como programa de radio más innovador, original y por su servicio a la sociedad. El citado espacio dejó de emitirse en junio de 2002. Paralelo a esta actividad ha publicado, de manera asidua, artículos en El País Semanal y en la actualidad en la revista Cinemanía. En el año 2001 dirigió y presentó "La vieja ceremonia" un espacio de televisión en "La Otra", y actualmente dirige y presenta el programa "Me lo dices o me lo cuentas" que se emite en Telemadrid.

Hasta la fecha ha publicado tres libros y como dice la propia Lorena "QUE SEA LO QUE DIOS QUIERAAAAAAAAA".

Otros títulos de Lorena Berdún
en Punto de Lectura

En tu casa o en la mía

¿Duele la primera vez? ¿Qué pasa si tengo fimosis? ¿Estaré embarazada? ¿Cuánto tiene que medir el pene?... Estas y otras muchas cuestiones se plantean cada noche en el programa radiofónico «En tu casa o en la mía», uno de los éxitos de la cadena Los 40 principales. Las personas, especialmente los jóvenes, llaman para consultar acerca de sus inquietudes, sus dudas, sus problemas, y para compartir sus conocimientos y experiencias.

Este libro, de gran ayuda para los jóvenes y también para los padres, recoge todos los aspectos que en materia sexual han de ser tenidos en cuenta para disipar incógnitas y tener una información adecuada.

Otros títulos de la colección